# PLAN
# KETO
# RECETAS

# PLAN
# keto
# RECETAS

Pierde peso, ahorra tiempo,
organiza tu menú semanal
y siéntete mejor que nunca
con la dieta cetogénica

## LIZ WILLIAMS

Fotografías de Darren Muir

Esta obra está dedicada con todo cariño
a la comunidad cetogénica.

Edición original en EE.UU.:
© 2018 by Rockridge Press, Emeryville, California

Diseño de interiores: Chris Fong
Diseño de cubierta: Will Mack
Editor: Stacy Wagner-Kinnear
Editor de producción: Andrew Yackira
Fotografía: Darren Muir

Edición española:
© Arcopress, S. L., 2019

Primera edición: septiembre, 2019

Cocina, dietética y nutrición • Editorial Arcopress
Directora editorial: Isabel Blasco
Maquetación: Fernando de Miguel
Traducción: Ignacio Alonso Blanco
Corrección: Maika Cano, Fernando de Miguel

Imprime: Gráficas La Paz
ISBN: 978-84-17828-13-4
Depósito Legal: CO-1215-2019
Hecho e impreso en España - *Made and printed in Spain*

# Contenido

# Introducción

Hace seis años, cuando comencé mi viaje por el mundo de la buena forma física, mi esposo trabajaba como entrenador personal y yo en un hospital. Decidimos entonces comprometernos con nuestra nutrición en vez de concentrarnos solo en el trabajo de gimnasio. Fue a partir de ese momento, al afinar nuestra alimentación y entrenarnos con regularidad, cuando nuestros cuerpos comenzaron a experimentar un verdadero cambio.

Por norma general, la preparación de nuestra comida consistía en un montón de arroz integral, proteína limpia, claras de huevo, boniatos y cierta variedad de verduras insulsas. Desde luego que vimos resultados, pero no tantos beneficios como al comenzar a seguir una dieta cetogénica.

Me alegro de haber empezado cuando lo hicimos y de que la preelaboración de la comida sea algo que hacemos juntos todas las semanas. Es una costumbre que aún practicamos hoy. La mayor diferencia entre nuestra dieta anterior y la cetogénica es que ahora consumimos una elevada cantidad de grasas saludables y alimentos saciantes. Algunos beneficios que experimentamos siguiendo un estilo de vida keto fueron una mayor capacidad de concentración, fortalecimiento del sistema inmunológico, masa magra fácil de mantener, la posibilidad de ayunar sin esfuerzo y la oportunidad de comer alimentos que de verdad nos gustaban.

Al principio, cuando comencé a seguir el estilo cetogénico, no podía creer la cantidad de variantes que ofrecía y lo creativa que podía ser en la cocina. Fue una sensación liberadora después de haber vivido siguiendo el típico programa culturista. Una de las mayores dificultades que afrontamos al comenzar a seguir este tipo de dieta fue la abundancia de información contradictoria que encontramos. No obstante, una dieta cetogénica no tiene por qué ser complicada; en realidad, es algo tan sencillo como preparar comidas con una fuente de proteínas, otra de grasa y otra de hortalizas de hoja verde. No busques ni hagas nada más complicado que eso.

Confío en que en estas páginas encuentres herramientas para hacer tu vida diaria más fácil y menos estresante. Sé que encontrar un momento para planificar y preelaborar tu dieta te ahorrará tiempo, dinero y problemas de salud.

# PRIMERA PARTE

# LISTOS PARA EL PLAN KETO

# RICO EN GRASA, BAJO EN CARBOHIDRATOS, SUPER FÁCIL

No importa si eres un nuevo miembro de la comunidad cetogénica o un veterano. Si todavía no has descubierto la combinación de una dieta cetogénica y su preelaboración, entonces tu vida está a punto de dar un nuevo giro. Uno de los mejores aspectos de esta dieta es su capacidad de adaptación a cualquier situación o estilo de vida: siempre podrás encontrar un alimento envasado o un menú acorde con la dieta cetogénica. Pero comer fuera de casa de modo habitual, o consumir demasiada comida procesada, puede limitar tus progresos. Regresar a la cocina y preparar deliciosos y nutritivos platos caseros te llevarán, a ti y a tus resultados, a un nivel superior.

# Mi filosofía keto

Cuando comencé a investigar qué era la dieta Keto, reconozco que me resultó un tanto compleja y difícil de entender. Después, al estudiarla, vivirla y sentir sus beneficios, comprendí lo equivocada que había estado. La dieta cetogénica resultó de fácil mantenimiento una vez me sentí cómoda en la cocina y los pasillos de la verdulería. Sé que tú también podrás decir lo mismo una vez ganes la confianza suficiente para limitar la ingesta de hidratos de carbono y añadir grasas saludables a tu dieta. Espero que la información contenida en estas páginas te ayude a que la preelaboración de tus comidas sea más económica, sencilla y agradable. Para mí, el único modo de ser coherente con mi familia, tiempo y presupuesto es realizar una preelaboración simple.

La clave de la dieta cetogénica es cubrir los macronutrientes. En este libro, la proporción que buscamos se sitúa entre el 5 y 10% de carbohidratos, el 15 al 30% de proteína y el 60 o 75% restante de grasa. Al seguir estas recetas y preelaboraciones podrás alcanzar estos objetivos con facilidad e implementar sin esfuerzo tu propio estilo de vida cetogénico.

Temía que mi primer libro, *The One-Pot Ketogenic Diet Cookbook*, fuese muy básico y sus recetas demasiado sencillas. Pero al recibir tantas reacciones positivas por parte del público señalando que, precisamente esas eran las características que más le gustaba, me sentí eufórica. Ahora, en estos tiempos, puedes leer cualquier cosa en Internet y encontrar información contradictoria por todas partes. El objetivo de este libro, y el de mi filosofía, consiste en simplificar este transformador estilo de vida para hacerlo posible, sencillo y de fácil mantenimiento y adaptación en los años venideros.

# Ingredientes básicos

Al principio, cuando decidí ingresar en la comunidad cetogénica, invertí una gran cantidad de tiempo imaginando qué podría o no podría comer y qué podría comprar o no. Sabía que la dieta cetogénica ideal consistía en el consumo de comidas elaboradas con un solo ingrediente, integral y sin refinar. Leía las etiquetas, investigaba y descubría cosas empleando el método de ensayo y error. Todavía pienso que lo mejor es adquirir alimentos ecológicos, pero también sé que no siempre es una estrategia que se ajuste bien al presupuesto mensual. Simplemente, compra las mejores carnes, huevos y productos lácteos que te puedas permitir.

Disfruta de una extensa variedad de carne, pescado, huevos, productos lácteos enteros (queso, mantequilla y crema), semillas bajas en carbohidratos (sobre todo pacanas, macadamias, castañas de Brasil, nueces, almendras y piñones), aceites saludables, condimentos bajos en hidratos de carbono, productos de la huerta como el brócoli y la coliflor, hortalizas de hoja verde… ¡Y un montón de aguacates! A continuación encontrarás un lista más detallada de estos ingredientes de cocina cetogénica que, como podrás comprobar, a menudo se emplean en las recetas de este libro.

**Aguacates.** Los aguacates son un ingrediente básico de la dieta cetogénica. Son pobres en hidratos de carbono, están cargados de nutrientes y son ricos en grasas saludables. Combinan bien con la mayoría de platos y suponen un modo estupendo de añadir sabor y grasa a la dieta.

**Productos lácteos.** Productos lácteos enteros como el queso crema, la crema agria, la nata para montar y la mantequilla ecológica pueden incluirse en la dieta cetogénica y, además, hacen que cualquier plato posea una deliciosa textura cremosa. Evita productos lácteos con azúcares añadidos, así como los bajos o carentes de grasa. Aunque estos alimentos conforman un aspecto clave del estilo de vida cetogénico, si quieres puedes seguir esta dieta sin tener que consumirlos. Algunos consejos adjuntos a las recetas te ayudarán resolver la cuestión.

**Huevos.** Los huevos son prácticos, baratos y resulta sencillo añadirlos a cualquier plato. Se pueden hacer fritos, revueltos, en tortilla, escalfados o cocidos. Contar con una docena de huevos en el frigorífico es un buen modo de estar cubierto y contar con una comida de contingencia. Medio aguacate, un poco de panceta y un par de huevos fritos es una comida cetogénica perfecta. Consume huevos de granja siempre que tengas oportunidad.

**Grasas y aceites.** El aceite de oliva, de aguacate, de coco o de TCM, o la manteca, el sebo, la mantequilla y la mantequilla india son grasas saludables que deberías añadir a tu dieta. Cocinar carne y verduras con esas grasas te ayudará a conseguir tus objetivos cetogénicos, haciendo tus comidas saciantes y satisfactorias. En cuanto te hayas adaptado a esta dieta esas grasas se convertirán en tu principal fuente de energía, así que será importante que las incluyas en tu ingesta diaria.

**Carnes.** En lo que a carne se refiere, puedes comer casi cualquier cosa. Solo asegúrate de acompañar la carne magra con guarniciones ricas en grasa para cubrir los macros de cada comida. Vigila los azúcares añadidos en la panceta y las salchichas y basa tu consumo en carne fresca y sin aditivos.

**Harina de semillas.** Las harinas de almendra y coco son unos buenos sustitutos cetogénicos del trigo. Ambas carecen de gluten, no son granos y son bajas en hidratos de carbono. Es muy práctico tener estas harinas a mano en el momento de cocinar postres cetogénicos, hornear o hacer barritas proteicas.

**Frutos secos.** El consumo moderado de frutos secos y sus correspondientes mantequillas es una gran fuente de grasas. Elige aquellos más ricos en grasas y pobres en carbohidratos, como las almendras, las macadamias, las nueces y las pacanas. Modera el consumo de pistachos, anacardos y pipas de girasol, debido a su mayor contenido de hidratos de carbono. Por otro lado, los frutos secos contienen muchas calorías, así que vigila el tamaño de las raciones.

**Sal.** Al llevar un estilo de vida cetogénico, puede que experimentes cierto descenso en el nivel de sodio. Al principio quizá te parezca un poco temerario añadir sal a la comida, pero es un aspecto esencial cuando el consumo de hidratos de carbono es tan bajo. Si es posible, emplea sal marina o del Himalaya.

**Edulcorantes.** La estevia y el eritritol son dos sustitutos del azúcar, naturales y bajos en hidratos de carbono. Prueba hasta encontrar lo que más te guste y se adapte mejor a ti. Cuando necesites algo dulce o tengas que ir más allá de tu café graso (véase pág. 78), quizá te convendría tenerlos a mano para mantener estables tus niveles de azúcar en sangre y satisfecho tu lado goloso.

**Verduras y hortalizas.** Al ir a comprar estos productos, elige los de hoja verde. Escoge verduras sin almidón, como brócoli, repollo, coliflor, lechuga, calabacín y coles de Bruselas. Evita legumbres y cereales como alubias, maíz, patatas o calabaza, pues son ricos en almidón.


## ALIMENTOS QUE DEBEMOS EVITAR

Puedes consumir una cantidad moderada de frutas y verduras. Por ejemplo, está bien añadir a la dieta un puñado de bayas o una pequeña ración de calabaza, zanahorias, tomates o cebollas. A menudo cocino con alguno de esos ingredientes, pues adoro el sabor y la textura que aportan a mis platos. Creo que su contribución hace que merezca la pena invertir en ellos parte de la ingesta de hidratos de carbono.

# GRIPE CETOGÉNICA

La primera opción de nuestros cuerpos es quemar carbohidratos o glucosa como energía. Al adoptar un estilo de vida cetogénico y realizar un corte drástico en el consumo de hidratos de carbono, tu cuerpo agotará la glucosa almacenada. Este proceso metabólico se llama cetosis y es cuando el cuerpo emplea ácidos grasos o cetonas como fuente de energía. Todo esto puede suponer un choque para nuestro cuerpo y muchos reaccionarán con síntomas similares a los de la gripe común, al conjunto de los cuales llamaremos gripe cetogénica.

Los síntomas más comunes de la gripe cetogénica son:
• Náuseas / • Irritabilidad / • Obnubilación / • Dolores estomacales / • Palpitaciones cardíacas / • Calambres musculares / • Antojos de azúcar / • Dificultad de concentración

Por favor, no dejes que estos síntomas te asusten. ¿Te imaginas por dónde está pasando tu cuerpo para lograr el cambio que supone el empleo de grasa como principal fuente de energía en vez de glucosa? Sé constante durante al menos un mes o un mes y medio y sé paciente. Las dos o tres primeras semanas serán las más difíciles. Lleva a cabo el proceso y no te arrepentirás.

Es probable que los síntomas de la gripe cetogénica se manifiesten cuando estés deshidratado, hayas perdido electrólitos o eliminado hidratos de carbono o azúcar de tu dieta. Puedes reducir el riesgo y la aparición de estos siguiendo estas indicaciones:
• Bebe mucha agua / • Repón los electrólitos perdidos y suplementa tu dieta con potasio, magnesio y sodio / • Bebe caldo de huesos / • Incrementa tu ingesta de sal / • Ejercítate con regularidad / • Procura dormir al menos ocho horas / • Toma suplementos de cetona. Me parece una buena idea consumirlos cuando se es un principiante en la dieta cetogénica.

Tras haberte ocupado de tus necesidades físicas, concédete algo de tiempo para ajustar el ajuste. Estás experimentando un cambio notable. Intenta ser paciente y amable contigo mismo y no te preocupes demasiado por las calorías. Concéntrate en mantener baja tu ingesta de carbohidratos y alta la de grasas, pues ayudarte a conseguirlo es la razón de ser de este libro.

Ten cuidado con productos más ricos en carbohidratos, como el requesón o el yogur natural azucarado, y frutos secos como anacardos, castañas, pistachos y sus correspondientes harinas. Está bien incluir estos productos en la dieta, pero con moderación y vigilando siempre esos hidratos de carbono.

Los alimentos que se deben evitar a toda costa en una dieta cetogénica son los cereales, la mayoría de las frutas, los alimentos procesados, las verduras ricas en fécula, las bebidas azucaradas y las grasas refinadas.

Lee las etiquetas y busca la presencia de azúcares y carbohidratos al cocinar y hacer la compra. Esto es muy importante cuando uno adquiere condimentos, salsas y aderezos en vez de elaborarlos. Las versiones comerciales de estos productos suelen estar cargadas de edulcorantes y fécula, empleada como espesante.

También se debería evitar el consumo de alcohol, aunque puedan consumirse pequeñas cantidades de vino seco y licores bajos en azúcar. Al beber alcohol, tu cuerpo va a emplearlo como fuente primaria de energía y luego, si ya estás preparado, la grasa. Por lo tanto, cuando bebas, piensa que no estás realizando ningún progreso, sino estancándote hasta que tu cuerpo haya quemado todo el alcohol.

# Ventajas de la preelaboración

Las razones que llevan a la gente a preelaborar sus comidas son variadas. A continuación, te muestro las más comunes:

**Ahorra tiempo.** En lugar de tener que preparar la cena cada noche y rebuscar algo para comer cuando llegas tarde del trabajo, puedes dejarlo todo listo invirtiendo un poco de tiempo en la preelaboración del menú semanal. Pasa las veladas con tus amigos y familiares en vez de enredarte en la cocina y tener que limpiar.

**Ahorra dinero.** La preelaboración implica no tener que pagar por comer fuera cuando tienes prisa (a no ser que se trate de un salida de fin de semana, por supuesto). Al sacar tiempo y preparar con antelación cada comida, no sufrirás la tentación de tomar una decisión tan precipitada como insalubre de pararte a recoger comida basura. Con la lista de la compra ya elaborada (dispones de una específica en cada uno de los capítulos correspondientes a cada tipo de preelaboración), adquirirás solo lo necesario, lo cual te ayudará a ahorrar.

**Control de las raciones:** Haber preparado las raciones de antemano te impedirá comer de más. A mí me ayuda a mantenerme en mi estilo cetogénico.

**Veladas libres:** En el libro *The One-Pot Ketogenic Diet Cookbook*, propongo recetas de cazuela que se pueden elaborar en menos de media hora y, en lo posible, aligeran de apuros noches y veladas. Pero en este libro voy un paso más allá al eliminar la elaboración diaria. Merece la pena ensuciar la cocina una vez, en fin de semana, y así sacar tiempo para disfrutar de jornadas diarias más tranquilas.

**Mayor habilidad en multitareas:** Te ayudaré con los planes paso a paso que propongo en cada una de las seis preelaboraciones. Esto te proporcionará las herramientas necesarias para crear tu propia rutina y llevar a cabo el trabajo en la cocina del modo más eficaz y eficiente posible.

# Principios de la preelaboración

Lo más importante es *planificar con antelación* y sacar tiempo para cocinar; algo más fácil de decir que de hacer. Créeme, lo sé. No obstante, el esfuerzo de planear con antelación te ayudará a ahorrar tiempo y energía, y a la larga te recompensará con unos resultados que podrás ver y sentir.

Y más importante aún es que la preelaboración te va a ayudar a conseguir tus objetivos y a descubrir la mejor versión de ti mismo al colaborar en la consecución de una rutina saludable y muy útil para evitar tentaciones y soluciones rápidas y fáciles. Tener en el frigorífico raciones de comidas preparadas para consumir en cualquier momento hará maravillas con tu nutrición y objetivos. Seguir una dieta con éxito y mantener los cambios necesarios para llevar un estilo de vida saludable es muy difícil porque la mayoría de las comidas nutritivas requieren de algún tipo de elaboración. Estamos decididos a tomar el camino más fácil y a elegir lo más rápido y conveniente.

## COMIENZOS FÁCILES

Lo más importante de una preelaboración es que esta sea sencilla y relajante. No hay necesidad de elaborar comidas extravagantes con ingredientes raros. En la Tercera Parte, en la sección dedicada a las recetas básicas (véase pág. 77), te proporciono una lista con las fundamentales y sus correspondientes preelaboraciones. Confío en que al llegar a esa sección ya dispongas de las herramientas necesarias para crear las tuyas, sencillas y a tu manera, para que en el futuro te ayuden a mantener la ruta hacia tus objetivos.

## REUTILIZACIÓN DE INGREDIENTES

Soy una adicta a las ofertas y, llegada la hora de pagar, de ahorrar lo máximo. Cuando mi familia y yo nos encontrábamos en plena mudanza, y pasamos una temporada sin disponer de cocina, salíamos a comer fuera muy a menudo. Hice todo lo que pude para ajustar mis comidas al estilo cetogénico. De todos modos, lo cierto es que casi me mareo cuando me di cuenta de la cantidad de dinero que estábamos gastando en comida basura. Te sorprenderá la cantidad de dinero que puedes ahorrar reutilizando ingredientes en distintos platos y manteniendo los menús sencillos. Este estilo de vida no solo será beneficioso para tu cuerpo y mente, sino también para tu cuenta bancaria.

## BATCH COOK (COCINANDO POR LOTES)

Si eres nuevo en la dieta cetogénica, no dejes que el hecho de tener que pre-elaborar un menú te bloquee. Te prometo que este estilo de vida te ahorrará muchos motivos de preocupación a lo largo de la semana. Mi mejor consejo es que te tomes tu tiempo para planear de antemano lo que de verdad vas a empezar a cocinar. Estoy segura de que los pasos que te indico en las pre-elaboraciones te ayudarán con este asunto. Sé paciente con tus habilidades para desarrollar múltiples tareas en la cocina. Cuanto más a menudo cocines diferentes cosas a la vez, más fácil te resultará hacerlo.

## VE A TU PASO

Personalmente, mi método consiste en coger lápiz y papel, sentarme y plani-ficar los menús que me gustaría preparar. Tengo en cuenta qué estará fresco, qué se conservará a lo largo de la semana y también qué está de oferta en la verdulería del barrio. A continuación, ordeno la lista de la compra según mi recorrido por el establecimiento. Una vez concluida la jornada de compra, vuelvo a sentarme con lápiz y papel y diseño el plan de asalto a la preelabo-ración del fin de semana. Pienso en cualquier modo de reutilizar fuentes y cuencos, en si podré hornear dos cosas a la vez y en los pasos que realizaré durante la mayor parte del tiempo que pase en la cocina. Me aseguro de dis-poner de un margen suficiente para que los alimentos hayan enfriado antes de sellar sus contenedores y guardarlos en el frigorífico.

# AYUNO INTERMITENTE

El ayuno intermitente es una estrategia alimenticia consistente en alternar periodos de ayuno con periodos de nutrición planificada. Cómo lo incorpores a tu plan de alimentación dependerá de tus objetivos.

Entre los beneficios del ayuno intermitente se encuentran:
- Mejora la lucidez y concentración
- Incremento de energía
- Pérdida de grasa
- Mayor sensibilidad a la insulina
- Aumento del número de cetonas en sangre

El ayuno intermitente puede ser realizado de varias maneras. Las dos más habituales son:

**16:8.** Consumirás tus comidas en un lapso de ocho horas, ayunando las dieciséis restantes. Se puede hacer diario o solo algunos días. Esta es mi estrategia favorita, pues diversos estudios han señalado que aumentar ocho o nueve horas el periodo de ayuno no tiene un efecto negativo en tu capacidad para mantener o aumentar la masa muscular. Mi esposo practica este tipo de ayuno cuatro o cinco días a la semana y hacía años que no estaba en tan buena forma. Ha ganado masa magra y su sistema inmunológico se ha fortalecido de manera pasmosa, así como su salud mental. ¡Incluso se entrena en ayunas! Nuestras sesiones de entrenamiento solían depender de nuestras comidas y del momento adecuado; ahora, en cambio, nuestras vidas se han hecho mucho menos estresantes.

**20:4.** Consumirás tus comidas en un periodo de tiempo no superior a cuatro horas y ayunarás las veinte restantes. Es probable que este sistema te impida ganar músculo, pero mejorará tu pérdida de grasa.

Mientras ayunas deberás asegurarte de mantenerte hidratado. Las bebidas permitidas durante el periodo de ayuno son:
- Caldo de huesos
- Suplementos de cetonas (cetonas exógenas)
- Agua
- Café solo
- Té

# El arte de almacenar

Lo más importante es planificar con antelación y sacar tiempo para cocinar; y esto es más fácil decirlo que hacerlo. Para lograrlo, es necesario que inviertas un poco de dinero en escoger los recipientes adecuados. Al plantearme realizar esta inversión, adquirí artículos de diferentes materiales, como cristal, metal y plástico (sin BPA, por supuesto) y así pude probar y escoger lo mejor para mí antes de realizar una gran compra. Experimentar con unos cuántos para saber cuáles te gustan más y van mejor en tu cocina te hará ahorrar dinero a largo plazo.

## RECIPIENTES

Unos recipientes de buena calidad son esenciales para mantener tu comida fresca durante el mayor tiempo posible. A continuación, te propongo una serie de requisitos con el fin de seleccionar los adecuados para la preelaboración de comidas.

**Sin BPA.** Estoy segura de que ya has leído o visto etiquetas de «sin BPA» en recipientes u otros objetos de plástico, y voy a decirte por qué eso es importante. BPA significa Bisfenol A, que es un producto químico presente en objetos de plástico como recipientes para comida, botellas de agua, latas y otros bienes de consumo. Investigaciones realizadas al respecto han mostrado que el BPA puede filtrarse en las bebidas o alimentos envasados en recipientes que lo contengan. Entre los posibles efectos de la exposición al BPA se encuentran la hipertensión, problemas mentales y distintos efectos adversos en el feto, niños y lactantes.

**Fáciles de guardar.** Sé que todos tenemos una estantería o un cajón lleno de recipientes y tapas. Si empiezas a incluir las preelaboraciones en tu rutina habitual, verás cómo comienzan a acumularse un montón de envases. Disponer de recipientes fáciles de guardar mantendrá tus cajones funcionales y organizados, lo cual te facilitará el día a día.

**Adecuados para el congelador.** Habrá ocasiones en que prepares más de lo que necesitas para la semana. Ahí es cuando tener recipientes adecuados para el congelador se convierte en un aspecto clave. También sería buena idea, yo lo hago, elaborar el doble de cantidad y guardarla en el frigorífico en espera de un futuro empleo.

**Adecuados para el microondas**. Cómo recalientas la comida es una elección tuya. Es probable que el microondas sea el sistema más conveniente. En consecuencia, deberías asegurarte de escoger recipientes adecuados al microondas.

**Adecuados para el lavavajillas**. Esto es obvio, al menos para mí.

## RECIPIENTES DE CRISTAL

En casa empleamos recipientes de cristal por diversas razones. El cristal no es dañino para el medio ambiente. Cumplen su función a distintas temperaturas, permitiéndome recalentar las preelaboraciones, poniéndolos directamente en el horno o el microondas. Aunque supongan una inversión mayor, los recipientes de cristal son más seguros y duraderos. No retienen el olor de la comida después de lavados, lo cual suma un punto extra. Puedes encontrarlos rectangulares, cuadrados o redondos; escoge diferentes tamaños para una mayor versatilidad.

## RECIPIENTES DE PLÁSTICO

Los recipientes de plástico son muy empleados en las preelaboraciones. Son ligeros, se guardan con facilidad y ahora muchos ya son adecuados para el microondas y el congelador. No obstante, como ya he señalado, mi primera opción es el cristal. Los contenedores de plásticos pueden filtrar sustancias nocivas en los alimentos almacenados en ellos. El plástico no es biodegradable y eso significa que la Tierra no puede reciclarlo de modo natural e incorporarlo al terreno; en realidad, el plástico contamina el terreno. Al contrario que el cristal o el metal, el plástico recoge los aromas y sabores de cualquier cosa que hayas guardado en él. Si has guardado pescado en un recipiente de plástico, apuesto a que su olor todavía se mantiene. Aunque es cierto que el plástico es más barato que otras opciones, también es verdad que no dura tanto. Si prefieres adquirir contenedores de plástico, asegúrate de que no contienen BPA.

## TARROS DE CONSERVA

Los tarros (de conserva) son ideales para guardar comida. Están hechos de cristal, son asequibles y perfectos para guardar ensaladas y vinagretas. Una selección de tarros de boca ancha y distinta capacidad (de medio litro a litro y medio), así como otros más pequeños (de un cuarto de litro o menores) para salsas y vinagretas, serán de gran ayuda en las preelaboraciones. Los empleo durante el proceso para lograr un almacenamiento rápido.

## ACERO INOXIDABLE

Los recipientes de acero inoxidable durarán mucho más que el plástico. Tienen mejor aspecto, mantienen bien la temperatura, ya sea alta o baja, y son muy resistentes. Son la opción más cara aunque el mayor inconveniente que debemos tener en cuenta es que no son adecuados para calentar en el microondas.

Sea cual sea el tipo de recipiente que decidas adquirir, te recomiendo tener al menos quince unidades, además de otros cinco tarros de medio litro o litro y medio de capacidad, para que dispongas de suficiente capacidad de almacenamiento para la preelaboración del menú semanal.

## ETIQUETADO

No me preocupé de etiquetar las comidas con la fecha de compra o preparación hasta que me di cuenta de la cantidad de alimentos que estaba tirando a la basura. El problema era que yo creía poder recordar cuándo había comprado tal o cual cosa y consumirla antes de que se estropease. Apenas comencé a cocinar preelaboraciones y etiquetar los recipientes, tuve un mejor control de lo almacenado en el frigorífico y de cuándo consumirlo, lo cual se tradujo en un ahorro de dinero.

Siempre guardo en un cajón etiquetas para el congelador y un rotulador permanente. Me gusta poner la «fecha de caducidad» para saber exactamente cuánto va a durar una determinada comida.

## DESCONGELACIÓN

El mejor modo de descongelar un alimento es dejarlo toda la noche en el frigorífico. Esto te obligará a planificar y calcular el tiempo necesario para descongelar la comida antes de que esté lista para su consumo.

El sistema de emplear agua fría puede ser más rápido que la descongelación en el frigorífico, pero requiere más atención. La comida debe estar en una bolsa impermeable y sumergida en agua fría. Cambia el agua cada media hora hasta que se haya descongelado por completo.

No se recomienda congelar y después calentar el pescado. En el frigorífico durará cuatro días.

# CUADRO DE CONSERVACIÓN Y ALMACENAMIENTO DE COMIDA

| ALIMENTOS FRESCOS | FRIGORÍFICO | CONGELADOR |
|---|---|---|
| Ensaladas, huevos y pescado | 1 - 2 DÍAS | NO CONGELAN BIEN |
| Vacuno, cerdo y cordero | 1 - 2 DÍAS | 3 - 4 MESES |
| Panceta | 1 SEMANA | 1 MES |
| Aves de corral | 1 - 2 DÍAS | 9 MESES O UN AÑO |

| ALIMENTOS COCINADOS | FRIGORÍFICO | CONGELADOR |
|---|---|---|
| Ensaladas, huevos y pescado | DE 3 A 5 DÍAS | NO CONGELAN BIEN |
| Vacuno, cerdo y cordero | DE 3 A 5 DÍAS | DE 3 A 6 MESES (LOS ASADOS PUEDEN DURAR UN AÑO) |
| Panceta | 1 SEMANA | 1 MES |
| Aves de corral | DE 3 A 5 DÍAS | DE 2 A 4 MESES |

Emplear un horno microondas es el sistema más rápido y práctico de recalentar la comida. Siempre la caliento en intervalos de un minuto hasta lograr la temperatura deseada, a veces al 60% de potencia. Vigila la comida con atención y remuévela de vez en cuando para que la temperatura resultante sea uniforme. También puedes recalentar tus alimentos en un horno o una parrilla convencional. Otra opción puede ser calentar una sartén, o similar, en la cocina, poner la comida y calentarla removiéndola hasta lograr la temperatura adecuada.

Al recalentar las sobras, intenta lograr una temperatura interna de unos 75 °C.

## CONSEJOS PARA LA CONSERVACIÓN Y ALMACENAMIENTO

Cuando vayas a la tienda a comprar carne y lácteos, asegúrate de que la fecha de «consumo preferente» sea la más lejana en el futuro. Puede que tengas que rebuscar un poco, pero es que esos productos aún deberán de almacenarse un tiempo hasta su preelaboración.

Asegúrate también de que tus preelaboraciones se hayan enfriado por completo antes de taparlas y guardarlas en el congelador o frigorífico. Si no lo haces, y pones la tapa mientras la comida aún está caliente, se formará vapor en el interior del recipiente. Eso hace que la comida siga cocinándose, lo cual puede resultar en verduras pasadas o proteínas secas.

# Menaje de cocina

Soy partidaria de tener en la cocina solo los elementos indispensables. A continuación, te detallo qué utensilios considero que debes tener y cuáles creo que es práctico tener.

## UTENSILIOS NECESARIOS

Esta lista puede parecer extensa, pero estoy segura de que ya tienes casi todo. Lo incluyo todo en esta lista, y no solo para asegurarme de que lo tienes, sino para decirte la razón de por qué son tan útiles en la preelaboración.

**Cuchillo de chef.** Si hasta ahora solo has empleado cuchillos baratos, cambiar a uno de buena calidad será el comienzo de una nueva experiencia.

**Sartén apta para horno.** Procura escoger una que quepa en la bandeja superior del horno (las mejores son las de hierro fundido). Poder emplear un utensilio para distintas tareas te va a ahorrar tiempo. Yo empleo una de hierro fundido casi a diario, pues en ella salteo carne con unas verduras, después añado unos huevos, lo meto todo en el horno y lo dejo asar en la parte superior.

**Bandeja de horno.** Contar con unas cuantas bandejas de horno es una decisión inteligente cuando se pretende cocinar preelaboraciones. Suelo utilizar bandejas de aluminio de 46 x 34 cm.

**Tazas y cucharas de medición.** Esenciales para medir las cantidades.

**Escurridor.** Muy bueno para lavar frutas y verduras y para secar el brócoli o las judías verdes.

**Tabla de cortar.** Puedes elegir entre varias opciones a la hora de adquirir una tabla de cortar. Yo empleo una de madera en lugar de una de plástico, porque las marcas de corte en la madera no son tan profundas y, bien cuidadas, duran más. Un buen modo de cuidar tu tabla es emplearla siempre limpia y bien seca. Humedece una hoja de papel de cocina o un paño limpio con aceite mineral, pásalo por la tabla y deja secar varias horas o, si es posible, toda la noche.

**Cacerolas.** Es muy útil disponer de unas cuantas y de diferentes tamaños, sobre todo para preparar varias comidas al mismo tiempo.

**Espiralizador.** Este es un utensilio clave para llevar un estilo de vida bajo en hidratos de carbono. Lo emplearás para hacer fideos y pastas vegetales. Hay muchas opciones dentro de un amplio rango de precios, a veces menos de 15€. Amazon es tu refugio.

**Molde para magdalenas.** Un molde para magdalenas grandes (unas doce unidades) es muy práctico para cocinar raciones individuales. Por ejemplo, lo emplearemos en la primera semana de preelaboración para principiantes y cocinaremos magdalenas de jamón y queso para desayuno (véase pág. 26).

**Tarros de conserva.** Haremos uso de un montón de tarros en casa. Los emplearemos como vasos, para mezclar vinagretas y almacenar ensaladas preelaboradas. Tengo varios tarros de 300, 500 y 750 ml, que uso de modo habitual. También tengo unos cuantos de 100 ml para guardar las vinagretas caseras.

**Recipientes para alimentos.** Como ya hemos hablado, existen varias opciones en la oferta de envases para comidas preelaboradas. En cada una de esas preelaboraciones tendremos tres o cuatro comidas para un total de cinco días. Recomendaría adquirir al menos una veintena de recipientes para conservar las preelaboraciones del menú semanal.

**Batidora de mano o multiprocesadora.** Disponer de uno de estos electrodomésticos es esencial para preparar una maravillosa taza de espumoso café graso (véase pág. 78), mezclar vinagretas y hacer puré con sopas o verduras.

**Termómetro digital.** Un termómetro digital es una necesidad en la cocina y mejorará la calidad de tus comidas. Las recetas y métodos de cocinado pueden ser muy variados, y ser capaz de controlar la temperatura interna de aquello que estés preparando es un asunto crucial. Hacer de las lecturas de temperatura una parte más de tu rutina, sea en la cocina o en el horno, te permitirá controlar la ternura y textura de todo lo que sirvas en la mesa.

**Platos de hornear.** Lo platos para hornear y las preelaboraciones son dos cosas que van de la mano. Al poder emplearlos para cocinar cualquier cosa, ya sea un gran desayuno o una comida de plato único, mantendrás bajo mínimos la cantidad de platos sucios. Me gusta que sean de cristal para poder ver cómo se cocina el interior, de modo que con un mismo plato puedo elaborar, servir, congelar o conservar en el frigorífico.

## UTENSILIOS PRÁCTICOS

Estos que te muestro continuación te facilitarán la vida. ¿Son necesarios? No. ¿Me ayudarán a comer siguiendo un estilo cetogénico a lo largo del año? Sin duda alguna.

**Barbacoa.** Quizá resulte un tanto extraño incluir un elemento de este tipo en la lista, pero deja que te diga por qué. He cocinado las recetas de este libro en pleno verano, sin aire acondicionado, y disponer de una barbacoa ha impedido que sobrecaliente la casa. Cualquier cosa que puedas asar, tostar u hornear en casa, lo puedes hacer con este aparato.

**Báscula de nutrición.** Lo cierto es que me gustaría incluir esta pieza en la lista de utensilios necesarios, pero no la necesitarás hasta que comiences a crear tus propias preelaboraciones. Soy una gran partidaria de contar calorías y macronutrientes, y el empleo de una de estas básculas es una obligación si pretendes llevar tu alimentación a un nivel superior.

# Preelaboraciones propuestas en este libro

Quiero ofrecer opciones a cualquier persona dispuesta a seguir una dieta cetogénica, así que he creado tres clases de preelaboración destinadas a ayudarte a satisfacer tus necesidades y lograr tus adjetivos. Cada una te proporcionará preelaboraciones para dos semanas, con tres o cuatro recetas cada una. Es decir, en conjunto dispondrás de ocho semanas de preelaboraciones y planes alimenticios construidos alrededor de recetas sencillas, asequibles y sabrosas. En la Tercera Parte propongo preelaboraciones básicas para cocinar desayunos, comidas y cenas y para ayudarte así a crear las tuyas propias y continuar llevando este estilo de vida.

**Preelaboraciones para principiantes**: Están dirigidas a personas que se inician en la dieta cetogénica. No importa cuáles sean tus objetivos, pues te ayudarán a entrar en cetosis, mantenerte ahí y optimizar la pérdida de grasa y la claridad mental. No hay planes de ayuno e incluirá recetas de desayuno.

**Preelaboraciones para deportistas**: Pensadas para aquellos que sigan un estilo de vida activo y quieran reforzarlo con una dieta cetogénica. Incluyo planes de ayuno intermitente o café cetogénico, una preelaboración sin lácteos y algo más de proteína debido a tu nivel de adaptación a la grasa.

**Preelaboraciones de mantenimiento**: ¿Has logrado tus objetivos relativos a la puesta en forma y pérdida de grasa? Entonces estas son para ti. A veces es muy sencillo volver a las andadas una vez conseguidas nuestras metas. Por favor, ten presente qué bien te sientes al estar en cetosis y comprométete a seguir este estilo de vida.

Si tienes intolerancia a la lactosa, debes saber que a menudo señalo buenos sustitutos de lácteos en mis recetas. A lo largo del libro te propongo estrategias para cocinar sin lácteos.

# SEGUNDA PARTE

# MEAL PREP
# PLANES Y RECETAS

# PREPARACIONES (MEAL PREP) PARA PRINCIPIANTES

Comenzar a seguir un estilo de vida cetogénico y cocinar preelaboraciones son dos acciones que van de la mano. Mi objetivo es proporcionarte las herramientas necesarias para un comienzo exitoso y tranquilo en la dieta cetogénica.

La primera semana de preelaboraciones incluye un desayuno para alegrar tus mañanas. En la segunda propongo un café graso (véase pág. 78) como primera «comida» del día. El café graso es increíblemente saciante, pero no puede prepararse con antelación. Es algo rápido y sencillo de hacer por la mañana siempre que tengas a mano los ingredientes necesarios. Cuando empiezas, las comidas quizá puedan parecerte un poco repetitivas, pero el ahorro de tiempo invertido en cocinar e introducir los macronutrientes en el contador harán que bien merezca la pena.

He procurado que las listas de compra sean sencillas y económicas. Si no dispones de ciertos aliños y condimentos habituales en la despensa, quizá las primeras compras te cuesten un poco más de lo habitual. Recuerda que no todas las grasas son iguales, así que invierte en productos saludables como el aceite de coco, la mantequilla orgánica y el aceite de aguacate.

« Ensalada Cobb (pág. 28)

## LISTA DE COMPRA

### ALIÑOS Y CONDIMENTOS

- Vinagre de sidra de manzana
- Aceite de aguacate
- Pimienta negra molida
- Leche de coco, entera (1 lata de unos 400 ml)
- Mostaza de Dijon
- Ajo en polvo
- Mayonesa (un bote de 700 ml)
- Aceite en aerosol para cocinar
- Cebolla en polvo
- Sal
- Salsa Worcestershire

### PRODUCTOS FRESCOS

- Brócoli (225 g)
- Tallos de apio (3)
- Pepinos (2)
- Ajo (2 dientes)
- Tomates uva (un paquetito)
- Limón (1)
- Lechuga trocadero (1)
- Lechuga romana (2)
- Perejil (1 manojo)
- Cebolla roja (1)
- Tomates (1)

### PROTEÍNAS

- Carne picada de vacuno (700 g)
- Muslos de pollo deshuesados, sin piel (½ kg)
- Panceta fresca (225 g)
- Jamón cocido (175 g)
- Huevos grandes (2 docenas)

### PRODUCTOS LÁCTEOS

- Queso cheddar (115 g)
- Queso azul (115 g)

## UTENSILIOS DE COCINA

- Bandejas para hornear (2)
- Cuchillo de chef
- Tabla de cortar
- Tazas y cucharas de medición
- Cuenco para mezclar
- Moldes para magdalenas
- Recipientes para almacenar alimentos (16)
- Batidora

## Y AHORA, PASO A PASO...

1. Sigue el primer paso de las hamburguesas de queso azul y panceta (véase pág. 31) y déjalas enfriar. Lava el cuenco muy bien antes de emplearlo en la preparación de las magdalenas de jamón y queso.

2. Precalienta el horno a 200 °C.

3. Sigue los dos primeros pasos de la receta de huevos duros (véase pág. 81).

4. Prepara los ingredientes de las magdalenas de jamón y queso (véase pág. 26) y sigue los pasos del 1 al 5.

5. Sigue los pasos 1 y 2 de la panceta perfecta (véase pág. 79) y también los dos primeros de muslitos de pollo al horno (véase pág. 80).

6. Elabora el aliño ranchero (véase pág. 88) y ponlo a enfriar.

7. Comprueba las magdalenas y los huevos. Reserva las magdalenas cuando estén listas y sigue los pasos 5 y 6.

| DESAYUNO | COMIDA | CENA |
|---|---|---|
| **DÍA 1** Magdalenas de jamón y queso | Hamburguesas de panceta y queso azul | Ensalada Cobb |
| **DÍA 2** Magdalenas de jamón y queso | Tacos de ensalada de pollo y huevo | Hamburguesas de panceta y queso azul |
| **DÍA 3** Magdalenas de jamón y queso | Ensalada Cobb | Tacos de ensalada de pollo y huevo |
| **DÍA 4** Magdalenas de jamón y queso | Ensalada Cobb | Tacos de ensalada de pollo y huevo |
| **DÍA 5** Magdalenas de jamón y queso | Hamburguesas de panceta y queso azul | Ensalada Cobb |

8. Baja la temperatura del horno a 190 °C y pon a hornear las bandejas ya preparadas con la panceta y los muslos de pollo.

9. Prepara la lechuga romana, los pepinos y el apio para la ensalada Cobb (véase pág. 28) y la ensalada de pollo y huevo (véase pág. 30) y reserva.

10. Vigila la panceta y el pollo. Cuando esté hecha, coloca la panceta en un plato con papel absorbente para secarla. Cuando el pollo esté listo, sácalo del horno y déjalo enfriar.

11. Sigue los pasos del 1 al 3 de la ensalada Cobb (véase pág. 28).

12. Termina las hamburguesas de queso azul y panceta (véase pág. 31) siguiendo los pasos 2 y 3.

13. Prepara los tacos de ensalada de pollo y huevo (véase pág. 30).

# MAGDALENAS
## DE JAMÓN Y QUESO

**5 RACIONES**

PREPARACIÓN: 10 minutos    COCINADO: 15 minutos

Esta receta de magdalenas para desayuno es una opción excelente como preelaboración y muy apropiada para un estilo de vida dinámico. Son fáciles de cocinar, apenas requieren trabajo de limpieza y están buenísimas frías o calientes. Esta receta también te permite desarrollar cierta creatividad al poder cocinar distintas combinaciones de ingredientes como espinacas, champiñones, *mozzarella*, panceta, queso cheddar o pimiento morrón.

Aceite en aerosol
   para cocinar

15 huevos grandes

Sal

Pimienta negra
   recién molida

½ cucharadita de cebolla
   en polvo

½ cucharadita de ajo
   en polvo

1½ tazas de brócoli picado

1 taza de jamón cortado
   en tacos

1 taza de queso
   cheddar rallado

½ taza de tomates
   cortados en dados

1 cucharadita de mostaza
   de Dijon

**1.**    Precalienta el horno a 200 °C. Rocía quince moldes para magdalenas con aceite de cocinar o cúbrelos con forro de silicona.

**2.**    Pon los huevos en un cuenco grande y sazónalos con sal, pimienta, cebolla en polvo y ajo en polvo. Mezcla bien con la batidora.

**3.**    Añade el brócoli, el jamón, el queso, los tomates y la mostaza. Mezcla hasta incorporar bien.

**4.**    Reparte la mezcla en los moldes, ya preparados, hasta llenar dos tercios de su capacidad.

**5.**    Hornea durante quince minutos o hasta que hayan cuajado. Deja enfriar.

**6.**    Dispón cinco contenedores y coloca tres magdalenas en cada uno.

**Almacenamiento**: Los recipientes, cerrados herméticamente, te permitirán conservarlas cinco días en el frigorífico y tres meses en el congelador. Déjalas toda la noche en el frigorífico para descongelarlas. Sírvelas frías o caliéntalas un minuto o dos en el microondas.

**SIN LÁCTEOS:** Sustituye el queso por ¼ de taza de crema entera de aceite de coco.

**CONSEJO:** Sírvelas con salsa de tomate, aguacate o crema agria, si gustas.

Calorías por ración: 364. Total grasas: 23 g; Proteínas: 30 g; Carbohidratos: 10 g, de los cuales 7 son limpios; Fibra: 3 g; Sodio: 956 mg.

**Macros: 57% grasa; 33% proteína y 10% hidratos de carbono.**

# ENSALADA COBB

**4 RACIONES**

PREPARACIÓN: 20 minutos    COCINADO: Inmediato si se ha precocinado y se tiene a mano la panceta, el pollo y los huevos, o 30 minutos si hubiese que cocinarlos

Una sustanciosa ensalada Cobb supone el sueño dorado de cualquiera que siga una dieta baja en carbohidratos y, además, es perfecta para pedirla en un restaurante o para incorporarla a tu lista de preelaboraciones. El queso feta siempre será una gran alternativa para aquellos que no gustan del queso azul.

2 lechugas romanas, picadas

2 tazas de muslitos de pollo al horno, troceados (véase pág. 80)

1 taza de tomates uva

2 pepinos cortados en dados

½ taza de cebolla roja picada

4 lonchas de panceta perfecta (véase pág. 79), troceadas

½ taza de queso azul desmigado

4 huevos duros (véase pág. 81), cortados en rodajas

½ taza de aliño ranchero sin lácteos (véase pág. 88)

**1.**    Reparte la lechuga en cuatro raciones y disponlas en otros tantos recipientes para comida.

**2.**    Del mismo modo, reparte y arregla el pollo, los tomates, los pepinos, la cebolla, la panceta, el queso azul y los huevos sobre la lechuga.

**3.**    Divide el aliño en servicios de dos cucharadas y guárdalas al lado.

**Almacenamiento:** En recipientes herméticos puede conservarse cinco días en el frigorífico.

**CONSEJOS DE ALMACENAMIENTO:** También puedes conservar tus ensaladas en una fuente de barro y así ahorrarte el espacio dedicado al aliño. La primera capa contendrá el aliño, y después los tomates, pepinos, cebolla, pollo, panceta, huevos, queso azul y lechuga. Cúbrela con la tapa y déjala en el frigorífico. Cuando llegue el momento de servir, simplemente agita la fuente y disfruta de tu ensalada.

**SIN LÁCTEOS:** Prescinde del queso azul.

Calorías por ración: 545. Total grasas: 38 g; Proteínas: 33 g; Carbohidratos: 23 g, de los cuales 20 son limpios; Fibra: 3 g; Sodio: 1.098 mg.

**Macros: 63% grasa; 24% proteína y 13% hidratos de carbono.**

# TACOS DE ENSALADA DE POLLO Y HUEVO

**3 RACIONES**

PREPARACIÓN: 10 minutos    COCINADO: Inmediato si se ha precocinado y se tiene a mano el pollo y los huevos, o 30 minutos si hubiese que cocinarlos

He intentado ofrecer la preelaboración más sencilla y económica posible. Si ya tienes los muslitos de pollo y los huevos precocinados, puedes prepararlos en un santiamén. También emplearás el pollo y los huevos en la preparación de la ensalada Cobb (véase pág.28). Si no dispusieses de ellos, el tiempo de cocinado rondará la media hora.

1½ tazas de muslitos de pollo al horno, troceados (véase pág. 80)

6 huevos duros (véase pág. 81), cortados

3 tallos de apio, picados

3 cucharadas de cebolla roja picada

1 cucharada de mostaza de Dijon

2 tazas de mayonesa (véase pág. 85)

Sal

Pimienta negra recién molida

8 hojas de lechuga trocadero o romana

**1.** En un cuenco grande, mezcla el pollo, los huevos, el apio, la cebolla y la mostaza. Añade la mayonesa y remueve hasta que todo esté bien incorporado. Sazona con sal y pimienta.

**2.** Reparte la ensalada de huevo y la lechuga en tres recipientes. Para servir, haz tacos de ensalada rellenando las hojas.

**Almacenamiento:** En recipientes herméticos puede conservarse cuatro días en el frigorífico.

**CONSEJO:** Puedes añadir un toque extra de sabor sazonando tu ensalada con un poco de curry en polvo.

**VARIANTE VEGETARIANA:** Sustituye el pollo por un par de huevos.

Calorías por ración: 1.202. Total grasas: 122 g;
Proteínas: 22 g; Carbohidratos: 3 g, de los cuales 2 son limpios;
Fibra: 1 g; Sodio: 1.398 mg.

**Macros: 91% grasa; 7% proteína y 2% hidratos de carbono.**

# HAMBURGUESAS DE QUESO AZUL Y PANCETA

**4 RACIONES**

PREPARACIÓN: 10 minutos y un rato de refrigeración　COCINADO: 12 minutos

Uno de mis maneras preferidas de disfrutar de una hamburguesa es acompañándola de panceta y queso azul. Esta receta se simplifica añadiendo el queso y la panceta directamente a la hamburguesa en vez de servirlos aparte. No tienes por qué prescindir de esta receta si no te gusta el queso azul; basta con que corones la hamburguesa con una loncha de tu queso favorito poco antes de que acabe de cocinarse.

700 g de carne picada de vacuno

4 lonchas de panceta perfecta (véase pág. 79), desmigada

½ taza de queso azul, desmigado

1 cucharada de salsa Worcestershire

2 huevos grandes

Sal

Pimienta negra recién molida

1 lechuga romana, cortada

1 aguacate, cortado

1 taza de tomates uva

**1.**　En un cuenco grande, mezcla la carne, la panceta, el queso azul, la salsa Worcestershire y los huevos. Sazona con sal y pimienta. Haz cuatro hamburguesas con las manos, envuélvelas con una membrana plástica y pon a refrigerar entre treinta minutos y dos horas.

**2.**　Calienta la plancha o la parrilla a fuego fuerte y cocina cada cara durante 4 o 5 minutos, o hasta que la carne haya adquirido el punto que desees. Apártala del fuego y deja enfriar.

**3.**　Reparte la lechuga, el aguacate y los tomates en cuatro recipientes y corona con una hamburguesa.

**Almacenamiento**: En recipientes herméticos, las hamburguesas pueden durar cinco días en el frigorífico. Puedes servirlas frías o calientes. Recalienta las hamburguesas aparte de la guarnición durante un minuto o dos en el microondas o durante ocho o diez en el horno a 200 °C.

> **CONSEJO:** El aliño de aguacate y lima (véase pág. 89) sería un buen condimento para esta receta.

Calorías por ración: 772. Total grasas: 54 g; Proteínas: 61 g; Carbohidratos: 10 g, de los cuales 6 son limpios; Fibra: 4 g; Sodio: 1.107 mg.

**Macros: 63% grasa; 31% proteína y 6% hidratos de carbono.**

## LISTA DE COMPRA

### ALIÑOS Y CONDIMENTOS

- Pimienta negra, molida
- Caldo de pollo (½ litro)
- Aceite de coco
- Comino
- Eritritol
- Aceite de oliva virgen extra
- Polvo de ajo
- Salsa marinara, baja en carbohidratos (1 lata de ½ kg)
- Cebolla en polvo
- Orégano seco
- Pimentón
- 2 tazas de chicharrones
- Guindilla molida
- Sal
- Extracto de vainilla

### PRODUCTOS FRESCOS

- Aguacate (1)
- Pimiento morrón, verde (1)
- Pimiento morrón, rojo (1)
- Caldo de pollo (½ (litro)
- 1 puñado de cilantro fresco
- Lechuga romana (1)
- Limas (3)
- Cebollas amarillas (2)
- Calabacines (6)

### PROTEÍNAS

- Muslos de pollo, con hueso (3)
- Una pieza de 1 kg de carne de falda
- Salchichas italianas (½ kg)
- Huevos grandes (2)

### PRODUCTOS LÁCTEOS

- Mantequilla salada (1 barra)
- Queso cheddar (½ taza, unos 60 g)
- Crema batida (½ l)
- Queso parmesano rallado (1 taza, unos 115 g)
- Crema agria (225 g)

## UTENSILIOS DE COCINA

- Plato de horno
- Bandeja de horno
- Cuchillo de chef
- Tabla de cortar
- Cafetera de émbolo
- Cubitera o moldes para hielo
- Batidora eléctrica
- Tazas y cucharas de medición
- Cuencos para mezclar
- Sartén apta para horno
- Recipientes para almacenar alimentos (11)
- Espiralizador o cortador de verduras

## Y AHORA, PASO A PASO...

**1.** Pon los filetes de falda a marinar según se indica en el primer paso de las fajitas con ensalada (véase pág. 34).

**2.** Precalienta el horno a 190 °C

**3.** Sigue los cuatro primeros pasos de pollo parmesano (véase pág. 36) y la preelaboración de tallarines de calabacín (véase pág. 82).

**4** Preelabora las barquitas de calabacín hasta el paso 5 (véase pág. 38).

**5.** Con la misma sartén que has utilizado para cocinar la mezcla de las barquitas, cocina las cebollas y pimientos para las fajitas con ensalada según el paso 3 (véase pág. 34).

**6.** Comprueba el pollo y, una vez hecho, quítalo del fuego y deja enfriar. Baja la temperatura a 175 °C y hornea las barquitas de calabacín siguiendo el paso 6.

| | DESAYUNO | COMIDA | CENA |
|---|---|---|---|
| DÍA 1 | Café graso (véase pág.78) | Pollo al parmesano sobre tallarines de calabacín | Fajitas con ensalada |
| DÍA 2 | Café graso | Fajitas con ensalada | Barquitas italianas de calabacín |
| DÍA 3 | Café graso | Ensalada Cobb | Pollo parmesano sobre tallarines de calabacín |
| DÍA 4 | Café graso | Fajitas con ensalada | Barquitas italianas de calabacín |
| DÍA 5 | Café graso | Pollo parmesano sobre tallarines de calabacín | Fajitas con ensalada |

**7.** Comprueba las barquitas y, cuando estén hechas, ponlas a enfriar antes de guardarlas en los recipientes.

**8.** Pon la parrilla a fuego fuerte y sigue el paso 2 de las fajitas con ensalada (véase pág. 34).

**9.** Sigue los pasos 5 y 6 del pollo parmesano sobre tallarines de calabacín (véase pág. 82).

# FAJITAS
## CON ENSALADA

**4 RACIONES**

PREPARACIÓN: 20 minutos y cierto tiempo de marinado    COCINADO: 10 minutos

Jamás recalcaré lo suficiente cuán importante es que prepares la marinada y dejes la carne toda la noche macerando. Si vas a cocinar las preelaboraciones en domingo, por ejemplo, prepara la marinada el sábado por la noche y dale a la carne tiempo de sobra para que macere. Incorporar unas finas lonchas de carne añadirá sabor a tus platos a lo largo de la semana. También suponen una buena cena si las acompañas con huevos y verduras salteadas (con su grasa, por supuesto).

**PARA LA CARNE**

1 kg de carne de falda

¼ de taza de aceite de oliva extra virgen

1 cdta. de ajo en polvo

1 cdta. de cebolla en polvo

1 cdta. de comino molido

Zumo de 1 lima

Las hojas picadas de un ramito de cilantro

Sal y pimienta negra recién molida

**PARA LA ENSALADA**

1 cebolla amarilla cortada en rodajas

1 pimiento verde, en rodajas

1 pimiento rojo, en rodajas

6 tazas de lechuga romana, picada

½ taza de crema

½ taza de queso cheddar rallado

2 limas cortadas en cuartos

1 aguacate

**PARA HACER LA CARNE**

**1.** En una bolsa grande, que se pueda cerrar herméticamente, introduce la carne de falda, el aceite, el polvo de ajo, el de cebolla, el comino, el zumo de lima, el cilantro, sal y pimienta. Deja macerar entre 30 minutos y 24 horas.

**2.** Cuando esté lista para cocinar, pon la parrilla a fuego fuerte, saca la carne y tira la marinada. Coloca la carne en una bandeja de horno y cocínala entre tres y cinco minutos por cada lado. Deja reposar diez minutos antes de cortarla en lonchas muy finas, contrarias a las fibras musculares o vetas.

**PARA HACER LA ENSALADA**

**1.** Calienta una sartén grande a fuego medio y añade el aceite, la cebolla y los pimientos. Remueve con frecuencia hasta que la cebolla se ponga translúcida, es decir, entre ocho y diez minutos.

**2.** En un recipiente dividido en cuatro departamentos, coloca la carne, los pimientos y la cebolla a un lado, y la lechuga, la crema agria, el queso y los cuartos de lima al otro. Antes de servir cada ración, corta a la mitad, deshuesa y pica un aguacate. Corona la carne con ¼ del aguacate picado, lechuga, crema agria y queso. Reparte el zumo de lima sobre la combinación y mezcla.

**Almacenamiento**: En recipientes herméticos, puede durar cinco días en el frigorífico. Si lo deseas, recalienta la carne y los pimientos por separado durante un minuto o dos en el microondas.

**CONSEJO:** Para añadir un poco de variedad, prueba a sustituir la carne de vacuno por pollo o gambas, o una combinación de ambos.

**SIN LÁCTEOS:** Prescinde de la crema agria y el queso, pero sé generoso con el aguacate.

Calorías por ración: 893. Total grasas: 60 g; Proteínas: 70 g; Carbohidratos: 17 g, de los cuales 11 son limpios; Fibra: 6 g; Sodio: 480 mg.

**Macros: 60% grasa; 31% proteína y 9% hidratos de carbono.**

# POLLO PARMESANO SOBRE TALLARINES DE CALABACÍN

**3 RACIONES**

PREPARACIÓN: 10 minutos   COCINADO: 40 minutos

Los tallarines de calabacín van a convertirse en tus mejores aliados keto. Antes de adoptar un estilo de vida cetogénico, mi receta preferida era el pollo parmesano con pasta; ahora la disfruto igual, pero sin sus pesados almidones. Lo mejor de este plato es el sustancioso pollo. Ahora puedo sustituir la pasta por los tallarines de calabacín y seguir disfrutando de esta maravillosa salsa mientras cumplo mis objetivos.

**PARA EL POLLO**

2 tazas de cortezas de cerdo picadas

¼ taza de queso parmesano rallado

Sal

Pimienta negra recién molida

2 huevos grandes

3 muslos de pollo, con hueso

1 cucharadita de ajo en polvo

3 cucharadas de aceite de oliva virgen extra

**PARA LOS TALLARINES**

3 tazas de tallarines de calabacín (véase pág. 82)

1½ de salsa marinara baja en hidratos de carbono

Sal

Pimienta negra recién molida

1. Precalienta el horno a 190 °C.

2. Mezcla el queso parmesano y las cortezas en un plato llano. Sazona con sal y pimienta. En otro plato, bate los huevos.

3. Seca el pollo usando un paño, sumérgelo en el huevo y rebózalo con la mezcla de carne. Repite.

4. En una sartén para horno (preferiblemente de hierro fundido), calienta aceite a fuego medio, añade el pollo y cocina cada lado durante seis o siete minutos. Deja que cada cara se haga por completo antes de darles la vuelta.

5. Dispón el pollo en la sartén y hornea de 25 a 30 minutos hasta que la temperatura interna alcance los 75 °C.

6. Coloca una taza de tallarines de calabacín, ½ de salsa marinara y un muslo de pollo en sus respectivos recipientes.

**Almacenamiento:** En recipientes herméticos, puede durar cinco días en el frigorífico. Si lo deseas, recalienta durante un minuto o dos en el microondas o durante ocho o diez minutos en el horno a 200 °C.

**CONSEJO DE INGREDIENTE:** Al buscar una salsa marinara baja en carbohidratos, comienza leyendo la etiqueta y fíjate en la cantidad de hidratos, la fibra y la lista de ingredientes. Cualquiera que sea la que menos cantidad de ingredientes y carbohidratos presente, será la mejor.

**SIN LÁCTEOS:** Prescinde del queso parmesano, nada más.

Calorías por ración: 649. Total grasas: 42 g; Proteínas: 45 g; Carbohidratos: 25 g, de los cuales 19 son limpios; Fibra: 6 g; Sodio: 1.565 mg.

**Macros: 58% grasa; 28% proteína y 14% hidratos de carbono.**

# BARQUITAS
## DE CALABACÍN

**3 RACIONES**

PREPARACIÓN: 10 minutos   COCINADO: 40 minutos

No te prives de ser creativo en estas preelaboraciones, sobre todo si la comida italiana no es tu fuerte. Puedes combinar muslitos de pollo al horno (véase pág. 80) y brócoli, hacerla como una especie de combinación entre taco y barquita empleando carne picada y condimentos mejicanos, o rellenar el calabacín con salsa boloñesa (véase pág. 45).

3 calabacines cortados por la mitad a lo largo

1 cucharada de aceite de aguacate

1 cebolla mediana, cortada en dados

2 cucharadas de ajo picado

½ kg de salchichas italianas

2 cucharaditas de pimentón

1 cucharadita de guindilla molida

2 cucharaditas de orégano seco

1 taza de caldo de pollo

¾ de taza de queso parmesano rallado

Sal

Pimienta negra recién molida

**1.**   Precalienta el horno a 175 °C.

**2.**   Quita la carne de cada mitad de calabacín empleando una cuchara y pícala.

**3.**   En una sartén grande, calienta aceite a fuego medio. Saltea la cebolla, el ajo y las salchichas hasta que estén doradas, es decir, unos seis u ocho minutos. Incorpora la carne picada de los calabacines, el pimentón, la guindilla molida y el orégano.

**4.**   Rellena las cáscaras de los calabacines con la mezcla de salchicha. Colócalas en una bandeja de horno de 34 x 21 cm y derrama el caldo sobre el fondo.

**5.**   Corona con el queso parmesano, sazona con sal y pimienta y cocina durante 30 o 35 minutos, hasta que el queso llegue a borbotear.

**6.**   Escoge tres recipientes para alimentos y coloca dos mitades de calabacín en cada uno.

**Almacenamiento:** En recipientes herméticos, pueden durar cinco días en el frigorífico. Si lo deseas, recalienta durante un minuto o dos en el microondas o durante ocho o diez minutos en el horno a 200 °C.

Calorías por ración: 720. Total grasas: 55 g; Proteínas: 44 g; Carbohidratos: 15 g, de los cuales 11 son limpios; Fibra: 4 g; Sodio: 2.061 mg.

**Macros: 69% grasa; 24% proteína y 7% hidratos de carbono.**

# PREPARACIONES (MEAL PREP) PARA DEPORTISTAS

He creado estas preelaboraciones para deportistas, o gente muy activa, con el fin de ayudarte a tener éxito en el campo nutricional. Mi esposo y yo dirigimos un gimnasio en Wyoming y a menudo oímos a gente decir que el tiempo pasado allí contribuía a seguir una mala alimentación. No es el caso, en absoluto. Estoy tan convencida de este sistema de preelaboraciones porque, al seguirlo, no acabo sacrificando tiempo de entrenamiento. Me ayuda a mantener mi dieta y la ejecución de mis ejercicios es más sólida. El objetivo de estas preelaboraciones para deportistas es eliminar grasa corporal mientras se mantiene masa limpia. He prescindido de los lácteos y aumentado la proteína durante estas dos semanas. Es habitual que los productos lácteos causen algún tipo de inflamación por eso, al eliminarlos de tu dieta, podrás ver un incremento en la pérdida de grasa. Presta atención a cómo se siente tu cuerpo al cambiar la ingesta de lácteos por un mayor consumo de proteína. No temas entrenarte en ayunas. Olvídate de ese batido post-entrenamiento y deshazte de la báscula; una cinta métrica será más práctica.

« Ensalada de salmón y rúcula (pág. 46)

41

## LISTA DE COMPRA

### ALIÑOS Y CONDIMENTOS

- Vinagre de sidra de manzana
- Pimienta negra molida
- Salsa Coconut Aminos
- Aceite de coco
- Eritritol
- Aceite de oliva virgen extra
- Ajo en polvo
- Sal y ajo en molinillo
- Orégano seco
- Sal
- 1 lata de pasta de tomate de 180 g
- 1 lata de ½ kilo de tomates cortados en cubos, bajos en azúcar

### PRODUCTOS FRESCOS

- Rúcula (225 g)
- Pimiento morrón verde (1)
- Repollo verde (1)
- Tallos de apio (2)
- Dientes de ajo (2)
- Limón (1)
- Cebolla amarilla (1)
- Cebolletas (4)
- Calabaza espagueti (1.800 g)

### PROTEÍNAS

- Carne picada de vacuno (1.200 g)
- Filetes de salmón (3, de unos 120 g)

## UTENSILIOS DE COCINA

- Plato de horno
- Bandeja de horno
- Cuchillo de chef
- Tabla de cortar
- Tazas y cucharas de medición
- Sartén apta para horno
- 11 recipientes para almacenar alimentos

## Y AHORA, PASO A PASO...

1. Prepara los vegetales frescos para la carne picada con repollo (véase pág. 44) y los calabaza espagueti a la boloñesa (véase pág. 45).

2. Precalienta el horno a 230 °C y sigue los tres primeros pasos de la ensalada de salmón y rúcula (véase pág. 46).

3. Una vez hecho el salmón, sácalo del horno y baja la temperatura a 175 °C. Termina de preparar la ensalada de salmón.

4. Corta la calabaza espagueti a lo largo y quítale las semillas. Coloca las mitades, con la cara del corte hacia abajo, en un plato de hornear con medio centímetro de agua. Hornea durante 45 o 50 minutos o hasta que esté tierna. Saca del horno y deja enfriar. Emplea un tenedor para quitar las fibras alargadas de la calabaza.

| | DESAYUNO | COMIDA | CENA |
|---|---|---|---|
| **DÍA 1** | Ayuno intermitente o café graso | Espagueti de calabaza a la boloñesa | Carne picada salteada con repollo |
| **DÍA 2** | Ayuno intermitente o café graso | Carne picada salteada con repollo | Ensalada de salmón y rúcula |
| **DÍA 3** | Ayuno intermitente o café graso | Ensalada de salmón y rúcula | Espagueti de calabaza a la boloñesa |
| **DÍA 4** | Ayuno intermitente o café graso | Espagueti de calabaza a la boloñesa | Carne picada salteada con repollo |
| **DÍA 5** | Ayuno intermitente o café graso | Carne picada salteada con repollo | Ensalada de salmón y rúcula |

**5.** Sigue los cuatro primeros pasos de los calabaza espagueti a la boloñesa (véase pág. 45).

**6.** Calienta una sartén grande a fuego medio y sigue los cuatro primeros pasos de la carne picada salteada con repollo (véase pág. 44).

# CARNE PICADA SALTEADA CON REPOLLO

**4 RACIONES**

PREPARACIÓN: 15 minutos   COCINADO: 20 minutos

Nunca me hizo gracia el repollo hasta que adopté una dieta cetogénica. Ahora es una de mis verduras para mantener bajos mis carbohidratos. Me encanta el repollo rallado en ensaladas. No hay nada más sabroso que repollo salteado con mantequilla y sal. Esta verdura es como un lienzo en blanco cargado de nutrientes y muy saciante. La salsa Coconut Aminos (también conocida como la «salsa de soja» cetogénica) y el vinagre de sidra de manzana aportan un excelente sabor a este plato.

1 cucharada de aceite de coco

700 g de carne picada de vacuno

2 dientes de ajo, picados

1 repollo verde, sin el corazón y cortado

2 cucharadas de salsa Coconut Aminos

2 cucharadas de vinagre de sidra de manzana

Sal

Pimienta negra recién molida

4 cebolletas picadas, tanto las cabezas como el tallo

Semillas de sésamo (opcional)

Sriracha (opcional)

Aceite de sésamo tostado (opcional)

1.    Calienta el aceite a fuego medio en una sartén grande. Agrega la carne con los ajos y cocínala hasta que se dore, es decir, entre cinco y siete minutos.

2.    Incorpora el repollo y continúa cocinando durante ocho o diez minutos, o hasta que la verdura se haya sofrito.

3.    Añade la salsa Coconut Aminos, el vinagre de sidra de manzana y sazona con sal y pimienta.

4.    Reparte el salteado en cuatro recipientes para alimentos. Al servir, corona con las cebolletas, las semillas y el aceite de sésamo y la sriracha, si gustas.

**Almacenamiento**: En recipientes herméticos, puede durar cinco días en el frigorífico. Si lo deseas, recalienta durante un minuto o dos en el microondas o durante ocho o diez minutos en el horno a 200 °C.

**CONSEJO:** Puedes prescindir de la carne de vacuno y emplear salchichas frescas de cerdo, o una mezcla de ambas carnes.

Calorías por ración: 550. Total grasas: 33 g; Proteínas: 49 g; Carbohidratos: 13 g, de los cuales 8 son limpios; Fibra: 5 g; Sodio: 641 mg.

**Macros: 54% grasa; 36% proteína y 10% hidratos de carbono.**

# CALABAZA ESPAGUETI A LA BOLOÑESA

**4 RACIONES**

PREPARACIÓN: 10 minutos    COCINADO: 45 minutos

Habrás advertido que empleo con frecuencia ajo en polvo y ajo y sal en molinillo. Aunque, por supuesto, si no hay problemas de horario siempre es mejor cocinar con ajo recién picado. Los platos como este salen mucho mejor si se saltean los ajos con mantequilla y cebolla, pero la opción de dedicar el tiempo extra necesario para incorporar ajo fresco, cuando tenemos un horario ajustado, quizá no sea la más pragmática.

1 cucharada de aceite de oliva extra virgen

1 cebolla amarilla, cortada

2 tallos de apio, finamente picados

1 pimiento morrón verde, picado

½ kg de carne picada de vacuno

2 cucharadas de pasta de tomate

1 lata de ½ kilo de tomates cortados en cubos, escurridos

1 cucharada de eritritol

1 cucharada de orégano seco

1 cucharada de ajo en polvo

Sal

Pimienta negra recién molida

Para la elaboración del espagueti de calabaza, véase la pág. 84

1. Calienta aceite a fuego medio en una sartén grande. Añade la cebolla el apio y el pimiento y saltea removiendo con frecuencia durante seis u ocho minutos, o hasta que estén blandas. Una vez hayas cocinado las hortalizas, incorpora la carne picada y cocínala hasta que se dore por completo, unos diez minutos.

2. Agrega la pasta de tomate, los tomates, el eritritol, el orégano, el ajo en polvo, la sal y la pimienta. Llévalo a ebullición y deja cocer a fuego lento durante veinte minutos o media hora, dando vueltas de vez en cuando.

3. Deja que la salsa enfríe.

4. Reparte el espagueti de calabaza en cuatro recipientes y corónalos con la salsa boloñesa.

**Almacenamiento:** En recipientes herméticos, pueden durar una semana en el frigorífico. Si lo deseas, recalienta durante un minuto o dos en el microondas o durante ocho o diez minutos en el horno a 190 °C.

**CONSEJO:** Cuanto más tiempo cueza la salsa a fuego lento, mejor se desarrollarán los sabores. Eso hace que la preelaboración sea una idea muy práctica y, además, la salsa mejorará a medida que pase el tiempo.

Calorías por ración: 415. Total grasas: 24 g; Proteínas: 33 g; Carbohidratos: 21 g, de los cuales 18 son limpios; Fibra: 3 g; Sodio: 372 mg.

**Macros: 52% grasa; 32% proteína y 16% hidratos de carbono.**

# ENSALADA DE SALMÓN Y RÚCULA

**3 RACIONES**

PREPARACIÓN: 15 minutos    COCINADO: 10 minutos

Al llevar un estilo de vida cetogénico es muy probable que la dieta se cargue de ácidos grasos Omega-6, abundantes en los frutos secos, aceite, muslos de pollo y huevos. Es importante equilibrarlos con ácidos Omega-3, más difíciles de obtener siguiendo este tipo de dieta. El salmón supone una magnífica fuente de ácidos grasos Omega-3 y debería ser un ingrediente habitual en tu estilo de vida cetogénico.

3 filetes de salmón
( de unos 120 g)

5 cucharadas de aceite de oliva extra virgen, por separado

1 cucharadita de ajo y sal en molinillo

El zumo de un limón

4½ tazas de rúcula

**1.** Precalienta el horno a 230 °C. Forra una bandeja de horno con papel de aluminio.

**2.** Frota los filetes con dos cucharadas de aceite y la sal con ajo. Colócalos sobre la bandeja ya preparada y riégalos con el zumo de limón.

**3.** Hornea hasta que el salmón se haya hecho y presente una textura hojaldrada, proceso que requerirá entre ocho y doce minutos. Deja los filetes reposar durante unos diez minutos.

**4.** Coloca en cada uno de los tres recipientes 1½ tazas de rúcula y sazona con sal y pimienta. Corónala con los filetes. Al presentarlo, aliña la rúcula de cada recipiente con una cucharada de aceite de oliva y revuelve.

**Almacenamiento:** En recipientes herméticos, puede durar cuatro días en el frigorífico. Puedes servirla fría o bien, retira el salmón y recaliéntalo durante un minuto o dos en el microondas o durante cinco o seis minutos en el horno a 200 °C.

**CONSEJO:** Un detalle clave que he aprendido acerca de cocinar salmón es evitar que se pase. Basta con aliñarlo con un poco de aceite de oliva, zumo de limón recién exprimido, sal y pimienta. Si tiene la piel, entonces cocínalo con la piel hacia abajo. El salmón se hace muy rápido, así que no te alejes demasiado del horno y comienza a comprobar el punto de cocinado alrededor de ocho minutos después de puesto al horno.

Calorías por ración: 393. Total grasas: 31 g; Proteínas: 26 g; Carbohidratos: 6 g, de los cuales 4 son limpios; Fibra: 2 g; Sodio: 91 mg.

**Macros: 71% grasa; 26% proteína y 3% hidratos de carbono.**

# DEPORTISTAS, SEMANA 2

## LISTA DE COMPRA

### ALIÑOS Y CONDIMENTOS
- Almendras fileteadas
- Aceite de aguacate
- Pimienta negra molida
- Semillas de chía
- 1 bote de ½ l de caldo de pollo
- Canela molida
- Salsa Coconut Aminos
- Un bote de 150 g de crema de coco o leche de coco entera y sin edulcorar
- Coco rallado y sin edulcorar
- Linaza
- Ajo en polvo
- Copos de cáñamo
- Cebolla en polvo
- ¼ de taza de salsa pesto
- Sal
- 1 bote de 450 g de chucrut
- Aceite de sésamo
- Estevia
- Extracto de vainilla

### PRODUCTOS FRESCOS
- Brócoli (2 cabezas)
- Ajo (3 dientes)
- Jengibre (1 pieza de 2,5 cm)
- Cebolla amarilla (1)
- Espagueti de calabaza (1.800 g)

### PROTEÍNAS
- Solomillo (700 g)
- Salchichas tipo Bratwurst (½ kg)
- Muslos de pollo con hueso (4)

## UTENSILIOS DE COCINA
- Bandeja de horno
- Cuchillo de chef
- Escurridor
- Cazuela
- Tabla de cortar
- Tazas y cucharas de medición
- Cuencos para mezclar
- Cazo
- Sartén apta para horno
- 17 recipientes para almacenar alimentos

## Y AHORA, PASO A PASO...

1.	Sigue las indicaciones para macerar la carne según la receta de carne picada salteada con brócoli (véase pág. 51).

2.	Precalienta el horno a 190 °C y sigue desde el segundo hasta el quinto paso de la receta de pollo asado sobre espagueti de calabaza al pesto (véase pág. 55).

3	Mientras se asa el pollo, y empleando el cazo, sigue los dos primeros pasos del pastel en tarro de cristal (véase pág. 50).

4.	Comprueba el pollo. Una vez hecho, sácalo, ponlo a enfriar y baja la temperatura del horno a 175 °C y pre-para el espagueti de calabaza (véase pág. 84).

5.	Cocina las Bratwurst y el chucrut según la receta (véase pág. 54).

| | DESAYUNO | COMIDA | CENA |
|---|---|---|---|
| **DÍA 1** | Pastel en tarro de cristal | Bratwurst y chucrut | Carne picada salteada con brócoli |
| **DÍA 2** | Pastel en tarro de cristal | Carne picada salteada con brócoli | Pollo asado sobre espagueti de calabaza al pesto |
| **DÍA 3** | Pastel en tarro de cristal | Pollo asado sobre espagueti de calabaza al pesto | Carne picada salteada con brócoli |
| **DÍA 4** | Pastel en tarro de cristal | Bratwurst y chucrut | Pollo asado sobre espagueti de calabaza al pesto |
| **DÍA 5** | Pastel en tarro de cristal | Carne picada salteada con brócoli | Bratwurst y chucrut |

**6.** Lleva una cazuela grande llena de agua a ebullición, calienta una sartén de buen tamaño y sigue los cinco primeros pasos de la carne picada salteada con brócoli (véase pág. 51).

**7.** Comprueba la calabaza y sigue los pasos 6 y 7 del pollo asado sobre espagueti de calabaza al pesto (véase pág. 84).

# PASTEL EN TARRO DE CRISTAL

**5 RACIONES**

PREPARACIÓN: 10 minutos    COCINADO: 20 minutos

En este tipo de preelaboraciones para deportistas estamos eliminando los productos lácteos y esta circunstancia puede ser un problema para mucha gente, dado que estos son la fuente de una buena parte de sus grasas. Mi variación de crema preferida es la de coco, en bote, o la de leche de coco. Para montar la crema de coco, debes dejarla una noche en el frigorífico, pues esto hará que la crema crezca y se solidifique. Saca la crema a cucharadas, evitando mezclarla con el líquido del fondo, y bátela hasta que esté suelta y a punto.

- 800 ml de leche o crema de coco sin edulcorar
- ¼ de taza de coco rallado sin edulcorar
- ¼ de taza de copos de cáñamo
- 3 cucharadas de semillas de chía
- 3 cucharadas de linaza
- 3 cucharaditas de estevia
- Una pizca de sal
- Una pizca de canela molida
- 2 cucharaditas de extracto de vainilla
- ¼ de taza de almendras fileteadas

**1.** En un cazo de tamaño mediano, mezcla la leche de coco, el coco, los copos de cáñamo, las semillas de chía, la linaza, la estevia, la sal y la canela. Llévalo a ebullición, reduce el fuego y déjalo cocer a fuego lento, sin parar de remover, hasta que espese, unos ocho o diez minutos.

**2.** Quítalo del fuego e incorpora la vainilla.

**3.** Reparte la mezcla en cinco botes de cristal y corónalos con almendras fileteadas.

**Almacenamiento:** En botes herméticos, puede durar 66 días en el frigorífico.

**CONSEJO DE ALMACENAMIENTO:** Aprovechar los botes de cristal para las preelaboraciones es una idea muy económica. Puedes adquirir una docena de botes de medio litro por menos de 20€.

Calorías por ración: 397. Total grasas: 39 g; Proteínas: 7 g; Carbohidratos: 8 g, de los cuales 5 son limpios; Fibra: 3 g; Sodio: 52 mg.

**Macros: 88% grasa; 7% proteína y 5% hidratos de carbono.**

# CARNE SALTEADA
## CON BRÓCOLI

**4 RACIONES**

PREPARACIÓN: 15 minutos y el tiempo de maceración    COCINADO: 10 minutos

Escaldar el brócoli es el mejor modo de asegurarse que aún pueda mascarse un poco. Este método de cocinado le permitirá a la hortaliza conservar su brillante color verde y su textura crujiente, lo cual es muy importante para las preelaboraciones. Me gusta rematarlo pasándolo por la sartén con mantequilla, ajo y sal.

**PARA LA MARINADA**

6 cucharadas de salsa Coconut Aminos

¼ de taza de aceite de aguacate

2 cucharadas de aceite de sésamo tostado

1 cucharadita de ajo en polvo

1 cucharadita cebolla en polvo

Sal y pimienta negra recién molida

700 g de solomillo, cortado en piezas de algo menos de un centímetro de grosor

**PARA LA CARNE Y EL BRÓCOLI**

1 cucharadita de sal y un poco más para sazonar

2 cabezas de brócoli, limpias y con los cogollos separados

2 cucharadas de aceite de aguacate

3 dientes de ajo, picados

1 cucharada de jengibre finamente picado o ½ de jengibre en polvo

¼ de taza de Coconut Aminos

¼ de taza de aceite de sésamo tostado

Pimienta negra recién molida

**PARA HACER LA MARINADA**

Mezcla en un cuenco la salsa Coconut Aminos, el aceite de aguacate, el de sésamo, el ajo en polvo, la cebolla en polvo, la sal y la pimienta. Añade la carne y sumérgela. Déjala macerar en el frigorífico durante, al menos, media hora o un día entero.

**PARA HACER PARA LA CARNE Y EL BRÓCOLI**

**1.**    Llena una cazuela grande hasta la mitad de agua y añade una cucharadita de sal. Llévala a ebullición.

**2.**    Agrega el brócoli y escáldalo entre uno y tres minutos. Escúrrelo y enfríalo con agua fría para impedir que continúe haciéndose. Reserva.

**3.**    Calienta una sartén grande a fuego medio-fuerte y mezcla el aceite de aguacate, el ajo y el jengibre y sofríe durante treinta segundos.

**4.**    Añade los trozos de carne, sin la marinada, y cocina sin dejar de remover durante dos o tres minutos. Agrega el brócoli, la salsa Coconut Aminos y el aceite de sésamo a la sartén y sazona con sal y pimienta. Continúa cocinando hasta que la carne haya alcanzado el punto deseado (cinco o siete minutos por término medio).

**5.**    Reparte en cuatro recipientes para alimentos.

CONTINÚA...

**Almacenamiento**: En botes herméticos, puede durar cinco días en el frigorífico, y hasta tres meses en el congelador. Para descongelar, déjala toda la noche en el frigorífico. Caliéntala un minuto o dos en el microondas u ocho o diez minutos en un horno a 190 °C.

**CONSEJO:** Solía asociar la maceración de la carne con más trabajo y creía que era una técnica sobrevalorada. Con el tiempo, he desarrollado cierto aprecio por este sencillo modo de añadir una tonelada de sabor al resultado final. Se trata de prepararlo todo con un poco de antelación y dejar la carne macerar toda la noche. El sabor del plato bien merece ese paso extra. Sin duda, notarás la diferencia.

Calorías por ración: 588. Total grasas: 38 g; Proteínas: 54 g; Carbohidratos: 6 g, de los cuales 4 son limpios; Fibra: 2 g; Sodio: 1.117 mg.

**Macros: 58% grasa; 37% proteína y 5% hidratos de carbono.**

# BRATWURST
# Y CHUCRUT

**4 RACIONES**

PREPARACIÓN: 10 minutos    COCINADO: 40 minutos

Me gusta incluir en mi dieta algunos productos fermentados con el fin de mejorar la salud intestinal y mantener baja mi ingesta de carbohidratos. Si no quieres elaborar tus propios alimentos fermentados, ve y busca en la tienda un bote de chucrut fermentado de modo natural.

2 cucharadas de aceite de aguacate

1 cebolla amarilla, cortada en rodajas finas

½ kg de Bratwurst

450 g de chucrut escurrido

1½ tazas de caldo de pollo

1 cucharadita de ajo en polvo

Sal

Pimienta negra recién molida

1.    En una sartén grade de hierro fundido a fuego medio, añade el aceite, la cebolla y las Bratwurst y cocina durante seis u ocho minutos, o hasta que comiencen a dorarse.

2.    Añade el chucrut, el caldo de pollo, el ajo en polvo, la sal y la pimienta y deja hervir a fuego lento durante treinta o cuarenta minutos, o hasta que las salchichas estén hechas.

3.    Coloca una salchicha y una taza de chucrut en cada recipiente.

**Almacenamiento:** En botes herméticos, pueden durar cinco días en el frigorífico o tres meses en el congelador. Para descongelar, déjalo toda la noche en el frigorífico. Caliéntalo un minuto o dos en el microondas u ocho o diez minutos en un horno a 190 °C.

Calorías por ración: 525. Total grasas: 42 g; Proteínas: 24 g; Carbohidratos: 12 g, de los cuales 8 son limpios; Fibra: 4 g; Sodio: 2.994 mg.

**Macros: 72% grasa; 18% proteína y 10% hidratos de carbono.**

# POLLO ASADO
## SOBRE ESPAGUETI DE
## CALABAZA AL PESTO

**4 RACIONES**

PREPARACIÓN: 15 minutos　COCINADO: 30 minutos

Este quizá sea uno de mis platos preferidos para hacer la preelaboración, pues una nunca se equivoca con el espagueti de calabaza al pesto. Asegúrate de no pasarlo al calentarlo para mantener su textura un poco firme.

4 muslos de pollo con hueso (de unos 120 o 160 g)

¼ de taza de aceite de oliva virgen extra

1 cucharadita de ajo en polvo

1 cucharadita de cebolla en polvo

Sal

Pimienta negra recién molida

La receta elaborada de espagueti de calabaza (véase pág. 84)

¼ de taza de salsa pesto ya preparada (véase más abajo en consejo).

**CONSEJO:** Elaborar tu propia salsa pesto es terriblemente sencillo si dispones de un procesador y los ingredientes necesarios. Todo lo que necesitas es albahaca fresca (pesto), ajo, piñones, sal, pimienta y aceite de oliva virgen extra.

**1.**　Precalienta el horno a 190 °C.

**2.**　Seca los muslos de pollo con papel de cocina absorbente y colócalos en un plato llano.

**3.**　Añade el aceite, el ajo y la cebolla en polvo y sazona con sal y pimienta. Mezcla hasta que el pollo esté bien cubierto por todos lados.

**4.**　Dispón la carne sazonada en una bandeja de horno, asegurándote de que la piel continúe adherida al muslo.

**5.**　Hornea entre media hora y cuarenta minutos, o hasta que el pollo haya alcanzado una temperatura interna de 75 °C.

**6.**　Pon el espagueti de calabaza y la salsa pesto en un cuenco de tamaño medio. Sazona con sal y pimienta y mezcla hasta que los ingredientes estén bien incorporados.

**7.**　Reparte el espagueti de calabaza entre los cuatro recipientes y corona con un muslo de pollo. Deja enfriar y cierra bien las tapas.

**Almacenamiento:** En botes herméticos, puede durar seis días en el frigorífico y hasta tres meses en el congelador. Para descongelar, déjalo toda la noche en el frigorífico. Caliéntalo uno o dos minutos en el microondas u ocho o diez minutos en un horno a 190 °C.

Calorías por ración: 361. Total grasas: 30 g; Proteínas: 18 g; Carbohidratos: 6 g, de los cuales 6 son limpios; Fibra: <1 g; Sodio: 447 mg.

**Macros:** 75% grasa; 20% proteína y 5% hidratos de carbono.

# PREPARACIONES (MEAL PREP) PARA MANTENIMIENTO

Una vez has alcanzado el peso deseado, a veces mantenerlo puede resultar incluso más difícil que perderlo. Recuerda que la dieta cetogénica es un estilo de vida, no un arreglo fácil. En estas preelaboraciones de mantenimiento he añadido un poco más de proteína y calorías mientras sigo manteniendo los hidratos de carbono tan bajos como sea posible. El aspecto clave de todo esto es una baja ingesta de carbohidratos, así que no les concedas más importancia que a tus objetivos en el consumo de grasa y proteína. Ahora que te has adaptado a la grasa, no te prives de experimentar y de ver lo flexible que es tu cuerpo cuando está en cetosis. Si decides probar a hacer cosas con los hidratos de carbono, escoge aquellos no procesados (como los boniatos). El mejor momento para ingerir hidratos de carbono es después del entrenamiento o alguna actividad física. Mantente alejado de los refinados y procesados. Presta atención a tu cuerpo para descubrir a qué responde mejor y, después, dáselo.

≪ Tacos de ensalada (pág. 61)

## LISTA DE COMPRA

### ALIÑOS Y CONDIMENTOS

- Pasta de anchoa
- Caldo de carne (½ l)
- Aceitunas negras fileteadas (450 g)
- Aceite de oliva virgen extra
- Sal y ajo en molinillo
- Cebolla en polvo
- Salsa de tomate baja en carbohidratos/azúcares (1 taza)
- Sazonador de tacos
- Salsa Worcestershire
- Mostaza amarilla, preparada

### PRODUCTOS FRESCOS

- Repollo verde (1)
- Coliflor (1)
- Ajo (2 dientes)
- Un paquetito de tomates uva
- Limón (1)
- Limas (2)
- Cebolla roja (1)
- Cebolla amarilla (1)
- Lechuga romana (1)

### PROTEÍNAS

- Carne picada de vacuno (½ kg)
- Palitos de pollo (6)
- Muslos de pollo deshuesados y sin piel (360 g)
- Huevos grandes (6)

### PRODUCTOS LÁCTEOS

- ½ taza de queso parmesano rallado (60 g)
- Crema agria (225 g)
- Queso cheddar rallado (1¼ tazas)
- Una barra de mantequilla salada
- Crema batida (½ l)

## UTENSILIOS DE COCINA

- Cuchillo de chef
- Tabla de cortar
- 7 tarros de cristal de ½ l
- Tazas y cucharas de medición
- Cuenco para mezclar
- Sartén apta para horno
- 3 recipientes para almacenar alimentos

## Y AHORA, PASO A PASO...

1. Precalienta el horno a 190 °C y sigue las instrucciones de los muslitos de pollo al horno (véase pág. 80).

2. Pon un cazuela grande a hervir y prepara los huevos duros (véase pág. 81).

3. Calienta una sartén a fuego medio y sigue el primer paso de los tacos de ensalada (véase pág. 61).

4. Mientras se cocina el pollo y la carne picada, prepara el arroz de coliflor (véase pág. 83) para los palitos de pollo con arroz de coliflor (véase pág. 62).

5. Comprueba los muslitos al horno y continúa cocinando la carne picada hasta que se dore. Cuando ambas estén hechas, apártalas del fuego y déjalas enfriar.

6. Prepara los ingredientes para la ensalada César con pollo (véase pág. 60) y reserva. Prepara a continuación el aliño César (véase pág. 86) para la ensalada de pollo.

| DESAYUNO | COMIDA | CENA |
|---|---|---|
| **DÍA 1** Ayuno intermitente o café graso | Ensalada César con pollo | Palitos de pollo con arroz de coliflor |
| **DÍA 2** Ayuno intermitente o café graso | Ensalada César con pollo | Tacos de ensalada |
| **DÍA 3** Ayuno intermitente o café graso | Palitos de pollo con arroz de coliflor | Ensalada César con pollo |
| **DÍA 4** Ayuno intermitente o café graso | Ensalada César con pollo | Tacos de ensalada |
| **DÍA 5** Ayuno intermitente o café graso | Tacos de ensalada | Palitos de pollo con arroz de coliflor |

**7.** Con la misma sartén en la que cocinaste la carne, elabora del cuarto al séptimo paso de los palitos de pollo (véase pág. 62).

**8.** Mientras se hace el pollo, comienza a preparar las ensaladas. Termina los dos primeros pasos de la ensalada César con pollo (véase pág. 60) y el segundo paso del taco de ensalada (véase pág. 61).

**9.** Cuando los palitos estén hechos, pásalos a un plato y reserva. De nuevo con la misma sartén, prepara el arroz de coliflor y los tres primeros pasos de los palitos de pollo con arroz de coliflor (véase pág. 62).

**10.** En cuanto se haya enfriado todo, divide el arroz y los palitos en cuatro recipientes para almacenar alimentos y guárdalos en el frigorífico.

# ENSALADA CÉSAR
## CON **POLLO**

**4 RACIONES**

---

PREPARACIÓN: 10 minutos　　COCINADO: Inmediato si se ha precocinado y se tiene a mano el pollo y los huevos, o 30 minutos si hubiese que cocinarlos

---

En cierta ocasión, Aaron Day, del *podcast* FatForWeightLoss, me hizo una entrevista en la que me preguntó: «¿Cuál de los alimentos cetogénicos no puedes tragar?». La respuesta a esa pregunta fue: «las anchoas». Mi esposo las come como tentempié, pero yo no he podido llegar a tanto. Si elaboramos una verdadera ensalada César, el aliño deberá estar hecho con anchoas y, además, el plato también se corona con este ingrediente. Yo pongo algo de pasta de anchoas en mi ensalada César casera, a pesar de no ser demasiado aficionada a su paladar, y estoy encantada con la profundidad que añade al sabor.

¾ de taza de aliño César (véase pág. 86)

1 taza de tomates uva

½ taza de cebolla roja, cortada en lonchas muy finas

4 huevos duros (véase pág. 81), cortados

½ taza de queso parmesano rallado

2 tazas de carne picada de muslitos de pollo al horno (véase pág. 80)

1 lechuga romana, limpia y cortada

**1.**　Pon tres cucharadas del aliño en cada uno de los cuatro tarros de cristal.

**2.**　A continuación, añade los tomates, la cebolla, los huevos, el queso y el pollo y corona con lechuga. Para servir, agita el bote hasta que todo se incorpore.

**Almacenamiento:** En recipientes herméticos puede conservarse cuatro días en el frigorífico.

**CONSEJO DE INGREDIENTE:** Lo ideal sería preparar el aliño desde cero, sin duda es lo mejor pero, si vas a adquirirlo en una tienda, presta atención a los azúcares y carbohidratos. Puede resultar difícil detectar su presencia. Por favor, comprueba siempre las etiquetas y los tamaños de las raciones. Pronto será como una parte de ti. Ya no necesitarás buscar las etiquetas de «libre de grasa»; en su lugar buscarás los aliños con menor número de ingredientes.

**HAZLA VEGETARIANA:** Sustituye el pollo por aguacate o huevos.

Calorías por ración: 586. Total grasas: 50 g; Proteínas: 33 g; Carbohidratos: 8 g, de los cuales 6 son limpios; Fibra: 2 g; Sodio: 658 mg.

**Macros: 77% grasa; 22% proteína y 1% hidratos de carbono.**

# TACOS DE ENSALADA

**3 RACIONES**

PREPARACIÓN: 10 minutos    COCINADO: 10 minutos

El repollo es una de mis hortalizas preferidas para las ensaladas, pues es muy crujiente. Para ahorrar tiempo, puedes buscar en la tienda ensaladas ya preparadas. Cuando busques salsa baja en carbohidratos, escoge la que menos cantidad presente y que nunca exceda los cinco gramos por ración.

½ kg de carne de vacuno picada

¼ de taza de sazonador de tacos

½ taza de caldo de carne

¾ de taza de salsa baja en carbohidratos

¾ de taza de crema agria

1 taza de tomates uva

450 g de aceitunas negras fileteadas

¾ de taza de queso cheddar rallado

1 repollo picado

2 limas cortadas en cuñas

**1.** Pon una sartén grande a fuego medio y cocina la carne durante siete o diez minutos, o hasta que se haya dorado. Agrega el sazonador de tacos y el caldo y deja cocer a fuego lento entre tres y cinco minutos hasta que espese. Deja que la carne picada se enfríe por completo antes de preparar la ensalada.

**2.** Reparte primero la salsa entre los tres tarros de cristal, después la crema agria, los tomates, las aceitunas, el queso, la carne picada, el repollo y las cuñas de lima. Para servir, exprime las cuñas de lima para sacarles el zumo, después quítalas y agita el bote hasta que todo se incorpore.

**Almacenamiento:** En recipientes herméticos puede conservarse cuatro días en el frigorífico.

**CONSEJO DE ALMACENAMIENTO:** Si no emplees tarros de cristal en esta preelaboración (porque ya los estés usando con la ensalada César, por ejemplo) utiliza cualquier recipiente que tengas a mano. Yo te aconsejaría que conservases la salsa y la crema agria en recipientes aparte, a no ser que los tuyos tengan anchura suficiente para dejarlas a un lado.

**CONSEJO:** Si deseas prescindir de la carne picada, prueba a sustituirla con unas raciones de muslitos de pollo al horno (véase pág. 80). Además, aún puedes ahorrar más tiempo si compras un pollo asado para la carne.

Calorías por ración: 931. Total grasas: 65 g; Proteínas: 57 g; Carbohidratos: 34 g, de los cuales 22 son limpios; Fibra: 12 g; Sodio: 2.617 mg.

**Macros: 63% grasa; 24% proteína y 13% hidratos de carbono.**

# PALITOS DE POLLO CON ARROZ DE COLIFLOR

**3 RACIONES**

PREPARACIÓN: 5 minutos    COCINADO: 30 minutos

Esta es una de las primeras recetas que compuse, y aún hoy es una de las favoritas de mi familia. Si en casa no consumís coliflor con frecuencia, ¡tenéis que hacerlo! Es el sustituto perfecto de esas hortalizas cargadas de hidratos de carbono cuando llevas un estilo de vida con una ingesta baja de carbohidratos. Puede servirse como puré, asado, hervido o en forma de arroz.

1 cebolla amarilla, picada

4 cucharadas separadas de mantequilla salada (media barra)

3 tazas de arroz de coliflor crudo (véase pág. 83)

½ taza de crema batida o leche de coco entera

½ taza de queso cheddar rallado

Sal

Pimienta negra recién molida

6 palitos de pollo

1 cucharada de cebolla en polvo

1 cucharada de sal con ajo en molinillo

**1.** En una sartén grande a fuego medio, saltea la cebolla con dos cucharadas de mantequilla unos cinco minutos, o hasta que se ponga traslúcida.

**2.** Añade la coliflor y continúa cocinando durante otros cinco minutos.

**3.** Agrega la crema y el queso y sazona con sal y pimienta. Remueve durante dos o tres minutos o hasta fundir el queso. Pásalo al plato de servir y tapa para conservarlo caliente.

**4.** En la misma sartén, funde a fuego medio las dos cucharadas de mantequilla restante.

**5.** Sazona los palitos con la cebolla en polvo, la sal y el ajo en molinillo y la pimienta.

**6.** Cocina los palitos durante un cuarto de hora dándoles la vuelta con frecuencia, hasta que la piel adquiera un oscuro tono dorado y la carne esté bien hecha, o haya alcanzado una temperatura interna de 75 °C.

**7.** Dispón una taza de arroz de coliflor y dos palitos de pollo en cada uno de los tres recipientes.

**Almacenamiento**: En recipientes herméticos pueden conservarse cinco días en el frigorífico y tres meses en el congelador. Para descongelar, déjalos toda la noche en el frigorífico. Caliéntalos, uno o dos minutos en el microondas u ocho o diez minutos en un horno a 190 °C.

**CONSEJO:** Añade un poco de variedad a esta receta sustituyendo queso cheddar por aquel que más te guste, como algún queso a la pimienta, tipo Monterrey Jack, por ejemplo. Yo siempre aprovecho las ofertas.

Calorías por ración: 502. Total grasas: 35 g; Proteínas: 34 g; Carbohidratos: 15 g, de los cuales 10 son limpios; Fibra: 5 g; Sodio: 739 mg.

**Macros: 63% grasa; 27% proteína y 10% hidratos de carbono.**

# MANTENIMIENTO, SEMANA 2

## LISTA DE COMPRA

### ALIÑOS Y CONDIMENTOS

- Vinagre de sidra de manzana
- Caldo de carne (½ l)
- Pimienta negra, molida
- Aceite de coco
- Sal y ajo en molinillo
- Guindilla molida o en polvo
- Comino, molido
- Eritritol
- Aceite de oliva virgen extra
- Ajo y sal en molinillo
- Guindillas verdes, cortadas (1 bote de 125 g)
- Kétchup sin azúcares añadidos
- Pacanas
- Chicharrones (½ taza)
- Sal
- Tomates troceados (1 bote de ½ kg)
- Pasta de tomate (1 bote de 180 g)
- Nueces
- Salsa Worcestershire
- Mostaza amarilla, preparada

### PRODUCTOS FRESCOS

- Pimiento morrón verde (1)
- Cabezas de brócoli (180 g)
- Tallos de apio (4)
- Judías verdes (450 g)
- Ensalada mixta (150 g)
- Frambuesas (1 bote de ½ l)
- Cebolletas (3)
- Espinacas (115 g)

### PROTEÍNAS

- Panceta (225 g)
- Carne picada de vacuno (½ kg)
- Huevos grandes (9)
- Carne de cerdo picada (225 g)
- Filetes de salmón (4 de 120 o 160 g)
- Carne de salchicha fresca (½ kg)

### PRODUCTOS LÁCTEOS

- Queso cheddar rallado (½ taza o 60 g)
- Queso feta desmigado (1 taza o 120 g)
- Crema batida (½ l)
- Queso parmesano en polvo (¼ taza o 30 g)
- Crema agria (opcional)

## UTENSILIOS DE COCINA

- Bandeja de hornear
- Cuchillo de chef
- Tabla de cortar
- Tazas y cucharas de medición
- Cuencos para mezclar
- Sartén apta para horno
- Olla de cocción lenta
- 18 recipientes para almacenar alimentos

## Y AHORA, PASO A PASO...

**1.** Precalienta el horno a 200 °C y sigue los cinco primeros pasos del pastel de carne con judías verdes (véase pág. 69). Lava el cuenco y utilízalo para la *frittata* (véase pág. 67).

**2.** En una sartén grande de hierro fundido, prepara las carnes para el *chili* ligero (véase pág. 73). En primer lugar, cocina la carne de vacuno, saca de la sartén y reserva. A continuación, la panceta cortada en cubos, que también habrás de reservar. Por último, cocina la carne de salchichas frescas para el *chili* y para la *frittata*

**3.** Prepara los ingredientes frescos para la *frittata* y el apio para el *chili*. Reserva.

| DESAYUNO | COMIDA | CENA |
|---|---|---|
| **DÍA 1** — *Frittata* de desayuno | Ensalada de salmón glaseado | Pastel de carne con judías verdes |
| **DÍA 2** — *Frittata* de desayuno | Ensalada de salmón glaseado | *Chili* ligero |
| **DÍA 3** — *Frittata* de desayuno | *Chili* ligero | Ensalada de salmón glaseado |
| **DÍA 4** — *Frittata* de desayuno | *Chili* ligero | Pastel de carne con judías verdes |
| **DÍA 5** — *Frittata* de desayuno | Pastel de carne con judías verdes | *Chili* ligero |

**4.** Comprueba el pastel de carne y, en cuanto esté hecho, sácalo del horno y deja enfriar. Baja la temperatura del horno a 190 °C para elaborar la *frittata*.

**5.** Completa los dos primeros pasos del *chili* ligero (véase pág. 73).

**6.** En la misma sartén que has cocinado las carnes, sigue los pasos del tercero al sexto de la *frittata* (véase pág. 67).

**7.** Llena una cacerola grande de agua con sal y llévala a ebullición. Añade las judías verdes y cuécelas durante tres o cuatro minutos. Escúrrelas y ponlas en un cuenco con agua muy fría para detener el proceso de cocción. Escurre y realiza el sexto paso correspondiente a la receta del pastel de carne. Corona cada recipiente con una porción de mantequilla.

# *FRITTATA* DE **DESAYUNO** | 5 RACIONES

PREPARACIÓN: 10 minutos    COCINADO: Inmediato si se ha precocinado y se tiene a mano el pollo y los huevos, o 30 minutos si hubiese que cocinarlos

La *frittata* italiana, es un excelente modo de disfrutar de unos huevos suaves, esponjosos y llenos de grasas saludables y proteína. Como sucede con las magdalenas de jamón y queso (véase pág. 26), dispones de un amplio margen de creatividad para decidir qué ingredientes pones, pues la verdad es que no puedes equivocarte. Me encanta cocinar mis proteínas en una sartén de hierro fundido para aprovechar las grasas que lo cubren tras el cocinado de huevos y verduras. ¡Hablemos de una crujiente hoja de huevo!

225 g de carne de salchichas frescas

1 taza de cabezas de brócoli picadas

1 pimiento morrón verde, cortado

2 tazas de espinacas frescas

8 huevos grandes

2 cucharadas de crema batida

Sal

Pimienta negra recién molida

½ taza, de queso cheddar rallado

3 cebolletas, con las cabezas y los tallos fileteados muy finos

Crema agria para servir

**1.**    Precalienta el horno a 190 °C.

**2.**    Calienta una sartén grande de hierro fundido a fuego medio y cocina la carne de salchicha durante cuatro o cinco minutos, o hasta que se dore. Sácala de la sartén, escúrrela por completo, pero dejando una cucharada de grasa.

**3.**    Cocina ahora en la sartén el brócoli con las espinacas durante dos o tres minutos, o hasta que estas hayan encogido un poco. Pon de nuevo la carne en la sartén.

**4.**    Bate los huevos y la crema en un cuenco pequeño y sazona con sal y pimienta. Vierte la mezcla sobre la combinación de brócoli, espinaca y carne. Añade ¼ de taza de queso cheddar y remueve los ingredientes hasta que todo esté bien incorporado.

**5.**    Hornea durante 25 o 30 minutos, o hasta que la superficie adquiera un tono dorado. Sácalo del horno, añade el queso restante (¼ de taza) y coloca la sartén bajo la parrilla hasta que el queso se haya fundido y puesto crujiente.

**6.**    Deja enfriar la *frittata*, córtala en cinco cuñas y coloca una en cada recipiente. Para servir, corona con la cebolleta y la crema agria.

CONTINÚA...

**Almacenamiento**: En recipientes herméticos puede conservarse cinco días en el frigorífico o tres meses en el congelador. Para descongelar, déjala toda la noche en el frigorífico. Recalienta la *frittata* en el microondas durante un minuto o dos, o diez minutos en un horno a 175 °C.

**CONSEJO:** Una buena *frittata* italiana debe presentar una textura cremosa, trémula como un flan y apenas cuajada. Para asegurarte, sácala cinco minutos antes de que creas que está hecha.

**HAZLA VEGETARIANA:** Es fácil hacerla vegetariana. Simplemente, quita la salchicha y cárgala de hortalizas. Algunas de mis preferidas son los espárragos, tomates, pepinos y cebollas.

Calorías por ración: 392. Total grasas: 31 g; Proteínas: 23 g; Carbohidratos: 6 g, de los cuales 5 son limpios; Fibra: 1 g; Sodio: 774 mg.

**Macros: 71% grasa; 23% proteína y 6% hidratos de carbono.**

# PASTEL DE CARNE CON JUDÍAS VERDES

**4 RACIONES**

PREPARACIÓN: 10 minutos    COCINADO: 35 minutos

Me quedé asombrada la primera vez que formé una lámina de carne en la bandeja de horno con las manos, en vez de usar el consabido molde para bizcochos. ¿Cómo no se me habría ocurrido antes? Era totalmente lógico. Hornear una lámina de carne sobre una bandeja de horno de aluminio, o una forrada con papel de aluminio, te facilita la limpieza y te permite ser mucho más creativo añadiendo los ingredientes que tengas a mano sin que por ello aumente el tamaño del pastel. También te permitiría cocinar un pequeño pastel para dos personas o una gran lámina para una fiesta. Es una manera sencilla de preelaborar comidas saludables para toda la semana.

225 g de carne de carne picada de vacuno

225 g de carne de carne picada de cerdo

1 huevo grande

½ taza de cortezas de cerdo desmigadas

¼ de taza de queso parmesano rallado

¼ de taza de crema batida

1 cucharadita de mostaza amarilla ya preparada

Sal

Pimienta negra recién molida

¼ de taza de kétchup sin azúcar o pasta de tomate

1 cucharada de eritritol

3 tazas de judías verdes blanqueadas

**1.**  Precalienta el horno a 200 °C y forra una bandeja de horno con papel de aluminio.

**2.**  En un cuenco grande, mezcla la carne de vacuno, la de cerdo, el huevo, la corteza de cerdo, el parmesano, la crema y la mostaza. Sazona con sal y pimienta.

**3.**  Dale forma a la mezcla y extiéndela sobre la bandeja de horno ya preparada.

**4.**  En un cuenco pequeño, incorpora el kétchup con el vinagre y el eritritol. Pinta el pastel con la mezcla.

**5.**  Hornea durante 35 o 40 minutos, o hasta que la temperatura interna alcance los 72 °C.

**6.**  Deja enfriar y corta en cuartos.

**7.**  En cada uno de los cuatro recipientes, coloca ¾ de taza de judías verdes y una porción de pastel de carne.

CONTINÚA...

**Almacenamiento:** En recipientes herméticos puede conservarse cinco días en el frigorífico o tres meses en el congelador. Para descongelar, déjalo toda la noche en el frigorífico.

> **CONSEJO:** Si te sobran torreznos, pueden ser un buen tentempié para cualquier momento de la semana.

> **HAZLO SIN LÁCTEOS:** Es fácil hacerla sin lácteos: prescinde del queso parmesano y sustituye la crema batida por crema de coco. La crema de coco siempre es una buena alternativa para la crema o la nata batida.

Calorías por ración: 481. Total grasas: 27 g; Proteínas: 49 g; Carbohidratos: 14 g, de los cuales 10 son limpios; Fibra: 4 g; Sodio: 833 mg.

**Macros: 51% grasa; 41% proteína y 8% hidratos de carbono.**

# ENSALADA DE SALMÓN GLASEADO

**4 RACIONES**

PREPARACIÓN: 20 minutos    COCINADO: 15 minutos

No estaba muy segura de incluir salmón en las preelaboraciones, pues hay gente a la que no le gusta. En cualquier caso, si te apetece puedes cambiar el salmón por cualquier otra fuente de proteína, aunque confío en que pruebes esta combinación al menos una vez. ¡A lo mejor te convierto en un aficionado al salmón! Las bayas son algo que debes consumir solo ocasionalmente, pero si un día te lo permites su sabor se disfruta mucho más.

4 filetes de salmón de unos 115 o 180 g

2 cucharadas de aceite de oliva extra virgen

Sal

Pimienta negra recién molida

½ taza de nueces

1 cucharada de aceite de coco

1 cucharada de eritritol

4 tazas de hojas de lechuga variada

¼ de taza de arándanos o frambuesas

¼ de taza de queso feta desmigado (opcional)

**1.** Forra una bandeja de horno con aluminio y precalienta la parrilla a fuego fuerte.

**2.** Unta cada filete con aceite de oliva y sazona con sal y pimienta. Colócalos en la bandeja ya preparada y asa durante ocho o doce minutos, o hasta que el salmón se deshaga con facilidad empleando un tenedor.

**3.** Saca el salmón de la bandeja y reserva.

**4.** Mientras, calienta una sartén a fuego medio y añade las nueces, el aceite de coco y el eritritol. No dejes de remover hasta que el eritritol se disuelva y las nueces suelten su aroma, es decir, entre tres y cinco minutos. Quita del fuego y reserva.

**5.** Combina las hojas de lechuga, las bayas y el queso feta.

**6.** En cada uno de los cuatro recipientes, coloca una buena taza de ensalada y corona con el filete de salmón y dos cucharadas de nueces caramelizadas.

CONTINÚA...

**Almacenamiento**: En recipientes herméticos puede conservarse cuatro días en el frigorífico. Sírvela fría o, si lo deseas, aparta el salmón y recalienta en el microondas durante un minuto o dos.

**CONSEJO:** A menudo compro una pieza entera de salmón, sobre todo si está en oferta. Lo corto en piezas de unos 115 o 180 g y los guardo en el congelador hasta que vuelva a necesitarlo.

**HAZLO SIN LÁCTEOS:** Es fácil hacerla sin lácteos: prescinde del queso feta.

Calorías por ración: 456. Total grasas: 34 g; Proteínas: 36 g; Carbohidratos: 9 g, de los cuales 7 son limpios; Fibra: 2 g; Sodio: 448 mg.

**Macros: 67% grasa; 32% proteína y 1% hidratos de carbono.**

# *CHILI* LIGERO

**5 RACIONES**

PREPARACIÓN: 25 minutos  COCINADO: 4 o 6 horas, a fuego fuerte, o entre 8 y 10 a fuego lento

¿Quién te iba a decir que podrías disfrutar de un buen *chili* sin alubias ni problemas digestivos? En esta receta suelo doblar las cantidades para guardar una preelaboración extra para la familia.

225 g de carne de carne picada de vacuno, cocida y escurrida

225 g de panceta sin curar, cortada en dados, cocida y escurrida

225 g de carne de salchicha, cocida y escurrida

1 taza de caldo de carne

1 taza de apio picado

1 lata (algo más de 400 g) de tomates cortados en dados, con su jugo

1 lata (unos 180 g) de pasta de tomate

1 lata (unos 115 g) de guindillas verdes cortadas en dados

1 cucharada de salsa Worcestershire

1 cucharada de guindilla en polvo

1 cucharada de comino molido

1 cucharada de sal con ajo en molinillo

1 cucharada de pimienta negra recién molida

Queso rallado y crema agria para decorar

**1.**  En un fuego grande, a baja potencia, añade la carne de cerdo y vacuno, la panceta, el caldo, el apio, los tomates con su jugo, la pasta de tomate, las guindillas, la salsa Worcestershire, la guindilla en polvo, el comino, la sal con ajo y la pimienta. Remueve hasta que todo esté bien incorporado. Cocina de cuatro a seis horas a fuego fuerte o entre ocho y diez a fuego lento.

**2.**  Reparte en cinco recipientes y deja enfriar. Para servir, corona con queso rallado y crema agria.

**Almacenamiento:** En recipientes herméticos puede conservarse cinco días en el frigorífico o tres meses en el congelador. Para descongelar, déjalo toda la noche en el frigorífico.

Calorías por ración: 629. Total grasas: 37 g; Proteínas: 46 g; Carbohidratos: 30 g. de los cuales 20 son limpios; Fibra: 10 g; Sodio: 1.679 mg.

**Macros: 53% grasa; 29% proteína y 18% hidratos de carbono.**

# TERCERA PARTE

# RECETAS BÁSICAS, ALIÑOS Y MÁS

# ALIÑOS Y RECETAS BÁSICAS

◄◄ Aliño de aguacate y lima (pág. 89)

# CAFÉ GRASO (FAT COFFEE)

**I RACIÓN**

PREPARACIÓN: 5 minutos

El *café graso* es una de las recetas básicas de mi estilo de vida cetogénico. Si no comienzo la mañana con una taza de este espumoso café, estropeo el plan diario, incluyendo el objetivo de macros. No importa si haces esta receta más o menos consistente, puedes variarla con total libertad, pues te mantendrá satisfecho y lleno de energía durante horas.

Unos 225 ml de café recién hecho

1 cucharada de mantequilla

1 cucharada de aceite de coco o aceite MCT

1 cucharada de crema batida o leche de coco entera

Canela molida (opcional)

Péptidos de colágeno (opcional)

Sal marina (opcional)

MCT en polvo (opcional)

Estevia o eritritol (opcional)

1. Pon el café caliente, la mantequilla, el aceite de coco y la crema en una batidora. Si gustas, añade la canela, los péptidos de colágeno, la sal, el MCT en polvo y la estevia. Bate entre treinta segundos y un minuto.

2. Sírvelo caliente y prepárate para una buena dosis de grasa.

**CONSEJO:** Si no eres bebedor de café, puedes sustituirlo por té caliente o una bebida elaborada con granos de cacao. También puedes mejorar tu café añadiendo péptidos, canela, cacao en polvo, edulcorantes o sirope sin azúcar, y convertir la bebida en un postre.

Calorías por ración: 276. Total grasas: 31 g; Proteínas: <1gr; Carbohidratos: <1 g, de los cuales <1 g son limpios; Fibra: <1 g; Sodio: 92 mg.

**Macros: 99% grasa; <1% proteína y <1% hidratos de carbono.**

# PANCETA PERFECTA | 6 RACIONES

PREPARACIÓN: 5 minutos    COCINADO: 15 minutos

¿Habría alguien imaginado que se puede comer panceta haciendo dieta y llevando un estilo de vida saludable? Solía eliminar la panceta de mi dieta debido a su alto contenido en grasa y todo ese sodio. Pero, cuando uno lleva un estilo de vida cetogénico, el cuerpo necesita más cantidad de ambos componentes. Recuerda: la panceta fresca y sin azúcares es la mejor.

Entre ½ y 1 kg de panceta fresca

**1.**    Precalienta el horno a 190 °C. Forra una bandeja de horno con papel de aluminio.

**2.**    Alinea las lonchas de panceta una al lado de otra sobre la bandeja ya preparada.

**3.**    Cocina entre doce y veinte minutos, según el grosor de las lonchas y el punto crujiente que desees conseguir.

**4.**    Escurre la panceta dejándola en un plato forrado con papel de cocina.

**Almacenamiento**: En recipientes herméticos puede conservarse cuatro o cinco días en el frigorífico.

**CONSEJO:** También puedes hacer la panceta en la cocina. Comienza empleando una sartén seca (de hierro fundido, a ser posible) y cubre la base con lonchas de panceta alineadas unas con otras. Cocina a fuego lento durante 8 o 12 minutos, o hasta que haya adquirido el punto crujiente deseado.

Calorías por ración: 308. Total grasas: 24 g; Proteínas: 21 g; Carbohidratos: <1 g, de los cuales <1 g son limpios; Fibra: 0 g; Sodio: 1.317 mg.

**Macros: 70% grasa; 29% proteína y <1% hidratos de carbono.**

# MUSLITOS DE POLLO AL HORNO

**6 RACIONES**

PREPARACIÓN: 5 minutos   COCINADO: 25 minutos

No todos los cortes de pollo son iguales en cuanto a macronutrientes se refiere. 170 g de filete de pechuga de pollo deshuesado y sin piel contiene unos 4 g de grasa y 38 de proteína. Un muslito entero del mismo peso aporta 14 g de grasa, 39 de proteína y sabe mejor. Cuando vayas a comprar carne de ave, busca los cortes de carne más oscura para obtener un mayor contenido de grasa.

- 1 kg de muslos de pollo deshuesados y sin piel
- 1 cucharada de cebolla en polvo
- 1 cucharada de ajo en polvo
- Sal
- Pimienta negra recién molida

1.   Precalienta el horno a 190 °C. Forra una bandeja de horno con papel de aluminio.

2.   Coloca los muslos en la bandeja ya preparada y sazona con la cebolla, el ajo, la sal y la pimienta.

3.   Hornea durante 25 o 30 minutos o hasta que la temperatura interna alcance los 74 °C y la carne haya soltado su jugo.

4.   Deja enfriar y corta en lonchas fáciles de servir. Reparte la carne en seis recipientes.

**Almacenamiento:** En recipientes herméticos pueden conservarse seis días en el frigorífico o tres meses en el congelador. Para descongelar, déjalos en el frigorífico toda la noche. Recalienta un minuto o dos en el microondas o durante ocho o diez minutos en un horno a 190 °C.

**CONSEJO:** Si dispones de tiempo, deja los muslos marinar en salsa durante una noche (o solo media hora) ante de cocinarlos y el esfuerza habrá merecido la pena. Para elaborar una sencilla marinada, mezcla ¼ de taza de aceite de aguacate, ¼ de taza de aceite de sésamo, 2 cucharadas de aminos de coco, una cucharadita de jengibre molido, sal y pimienta.

Calorías por ración: 153. Total grasas: 10 g; Proteínas: 16 g; Carbohidratos: 0 g, de los cuales 0 g son limpios; Fibra: 0 g; Sodio: 356 mg.

**Macros: 40% grasa; 60% proteína y 0% hidratos de carbono.**

# HUEVOS DUROS

**12 RACIONES**

PREPARACIÓN: 5 minutos    COCINADO: 15 minutos

Los huevos cocidos son una excelente fuente de grasa para cualquier ensalada, es fácil consumirlos en cualquier parte y fáciles de hacer con salsa picante, mientras siguen siendo adecuados para nuestros objetivos cetogénicos. Suelo hacer una buena cantidad al principio de la semana para que mi familia los consuma libremente. Y al final de la semana ya no queda ninguno.

1 docena de huevos grandes a temperatura ambiente

**1.** Coloca los huevos formando una sola capa en el fondo de una fuente grande. Añade agua hasta cubrirlos unos tres centímetros. Lleva a ebullición a fuego fuerte.

**2.** Quita la fuente del fuego y cubre. Deja reposar durante un cuarto de hora.

**3.** Escurre el agua caliente y deja los huevos en un recipiente grande lleno de agua helada durante media hora.

**Almacenamiento:** En recipientes herméticos pueden conservarse una semana en el frigorífico, pelados o no.

Calorías por ración: 63. Total grasas: 4 g; Proteínas: 6 g; Carbohidratos: <1 g. de los cuales <1 g son limpios; Fibra: 0 g; Sodio: 62 mg.

**Macros: 57% grasa; 38% proteína y 5% hidratos de carbono.**

# TALLARINES
## DE CALABACÍN

**4 RACIONES**

PREPARACIÓN: 20 minutos   COCINADO: 5 minutos

Es bueno hacer una pequeña inversión en un espiralizador cuando se pretende un bajo consumo de hidratos de carbono. Si llevas un estilo de vida cetogénico dispones de una gran variedad de opciones para emplear salsas y aliños de queso, ricos y sabrosos. Al reemplazar fideos cargados de almidón por un sucedáneo bajo en carbohidratos hecho con hortalizas, te liberas de cualquier sentimiento de culpa y tu estómago queda satisfecho. También es una buena forma de que los niños coman productos de huerta.

4 calabacines

3 cucharadas de mantequilla o aceite virgen extra

1 cucharadita de ajo machacado

Sal

Pimienta negra recién molida

**1.**   Con el espiralizador, con un rallador en juliana o con un cuchillo, haz los tallarines. Reserva.

**2.**   Funde la mantequilla en una sartén grande a fuego medio-fuerte. Añade el ajo y cocina durante un minuto o hasta que se ponga traslúcido.

**3.**   Añade los tallarines y remueve hasta cubrirlos con la mantequilla. Cocina entre dos y cinco minutos, o hasta que estén tiernos. Los calabacines pueden pasarse con mucha facilidad, así que ten cuidado de no sobrecocinarlos. Deberían quedar un poco crujientes.

**4.**   Reparte los tallarines en cuatro recipientes (también podrías hacerlo antes de cocinarlos tras el paso 1.)

**Almacenamiento**: En recipientes herméticos, los tallarines de calabacín pueden conservarse cinco días en el frigorífico, ya estén cocinados o crudos. Recalienta en el microondas durante un minuto o dos.

Calorías por ración: 109; Total grasas: 9 g; Proteínas: 3 g; Carbohidratos: 7 g, de los cuales 5 g son limpios; Fibra: 2 g; Sodio: 372 mg.

**Macros: 74% grasa; 11% proteína y 15% hidratos de carbono.**

# ARROZ DE COLIFLOR

| 4 RACIONES |

PREPARACIÓN: 10 minutos    COCINADO: 10 minutos

La coliflor es algo que realmente he aprendido a amar, y es mi ingrediente favorito para experimentar en la cocina. El arroz de coliflor es el sustituto perfecto del arroz blanco en cualquier plato que lo requiera. ¡Sé creativo con la coliflor! Las opciones son infinitas y todas ellas bajas en carbohidratos.

**PARA EL ARROZ DE COLIFLOR CRUDO**

1 coliflor limpia

**PARA EL ARROZ DE COLIFLOR COCINADO**

2 cucharadas de mantequilla o aceite de oliva virgen extra

2 tazas de arroz de coliflor crudo

Sal

Pimienta negra recién molida

**PARA HACER ARROZ DE COLIFLOR CRUDO**

**1.**    Lava y seca la coliflor. Corta la cabeza en cuartos y quita cualquier rastro de hojas. Divide las cabezuelas con las manos.

**2.**    Llena la picadora con las cabezuelas hasta ¾ de su capacidad; trabaja en tandas, si es necesario.

**3.**    Pica con pulsos de uno o dos segundos hasta que esté completamente desmigada y parezca arroz. Puede emplearse en las ensaladas como sustituto de las semillas.

**PARA HACER EL ARROZ DE COLIFLOR COCINADO**

**1.**    Calienta la mantequilla a fuego medio en una sartén grande con tapa. Agrega el arroz de coliflor y salpimienta.

**2.**    Cocina durante un minuto, removiendo hasta que la coliflor esté cubierta de mantequilla.

**3.**    Cubre la sartén con la tapa y deja cocinar, removiendo de vez en cuando, durante cinco u ocho minutos o hasta que la coliflor esté tierna.

**4.**    Reparte el arroz de coliflor en los 4 recipientes, deja enfriar y tapa,

**Almacenamiento:** En recipientes herméticos, puede durar cinco días en el frigorífico y estar disponible como guarnición para cualquier cena de la semana. Si lo deseas, recalienta durante un minuto o dos en el microondas o durante ocho o diez minutos en el horno a 190 °C.

Calorías por ración: 67. Total grasas: 6 g; Proteínas: 1 g; Carbohidratos: 4 g, de los cuales 2 son limpios; Fibra: 2 g; Sodio: 351 mg.

**Macros: 80% grasa; 5% proteína y 15% hidratos de carbono.**

**CONSEJOS DE COCINADO:**

Si no dispones de una picadora, prueba a hacer el arroz con un rallador. También puedes buscarlo en las tiendas, cada vez hay más que venden arroz de coliflor ya preparado, así que asegúrate a próxima vez que vayas.

# ESPAGUETI
## DE CALABAZA

**5 RACIONES**

PREPARACIÓN: 5 minutos   COCINADO: 35 minutos

La calabaza espagueti es de invierno pero, a diferencia de otras, es baja en calorías y almidones. Una ración de espagueti de calabaza cocinado contiene 19 calorías, 4 gramos de carbohidratos y 0 de fibra. Eso hace de este sucedáneo de la pasta una gran alternativa, que puedes disfrutar con la receta Alfredo (véase pág. 110) o a la boloñesa (véase pág. 45).

1 calabaza espagueti de unos 2 kg

1.   Precalienta el horno a 190 °C

2.   Corta la calabaza a lo largo y quita las semillas. Coloca las mitades, con el corte hacia abajo, en un plato de horno, y llénalo con algo menos de un centímetro de agua.

3.   Hornea durante 35 o 40 minutos o hasta que se ponga tierna. Deja enfriar. Emplea un tenedor para sacar de la calabaza tiras con forma de espagueti.

4.   Reparte la calabaza en cinco recipientes.

**Almacenamiento:** En recipientes herméticos, pueden durar cinco días en el frigorífico. Si lo deseas, recalienta durante un minuto o dos en el microondas o durante ocho o diez minutos en el horno a 190 °C.

Calorías por ración: 19. Total grasas: <1 g; Proteínas: <1 g; Carbohidratos: 4 g, de los cuales 4 son limpios; Fibra: 0 g; Sodio: 10 mg.

**Macros: <1% grasa; <1% proteína y 99% hidratos de carbono.**

# MAYONESA

**UNAS 2 TAZAS**

PREPARACIÓN: 10 minutos

Esta receta de mayonesa es de elaboración sencilla, puede conservarse hasta una semana en el frigorífico y es un aliño adecuado para cualquier plato que, además, no te creará ningún sentimiento de culpa. Añadir mayonesa a tus comidas es un excelente modo de alcanzar tus objetivos dietéticos diarios. Antes de comenzar a cocinar esta receta, asegúrate de que todos sus ingredientes estén a temperatura ambiente, de modo que los huevos batidos se incorporen por completo.

2 yemas grandes, a temperatura ambiente

1 cucharadita de sal

1 cucharadita de mostaza Dijon

2 cucharadas de zumo de limón recién exprimido

1 cucharada de vinagre de sidra de manzana o vinagre blanco

1½ tazas de aceite de oliva virgen extra o aceite de aguacate

**1.** En un procesador de alimentos, bate las yemas, la sal, la mostaza, el zumo de limón y el vinagre durante unos treinta segundos, o hasta que la mezcla espese.

**2.** Con el procesador funcionando a alta velocidad, ve añadiendo muy poco a poco el aceite en la mezcla de huevo hasta que espese.

**3.** Pasa a un recipiente para alimentos o un bote de cristal

**Almacenamiento:** En recipientes herméticos puede conservarse una semana en el frigorífico.

**CONSEJO PARA AHORRAR TIEMPO:** Si no dispones de tiempo para sacar el procesador y hacer toda esta mezcla (te garantizo que tardarás menos de diez minutos), busca en la tienda la mayonesa con menos cantidad de hidratos de carbono. Recomiendo la de la marca Primal Kitchen.

Calorías por ración (2 cucharadas): 188. Total grasas: 21 g; Proteínas: <1 g; Carbohidratos: <1 g, de los cuales <1 g son limpios; Fibra: 0 g; Sodio: 152 mg.

**Macros: 99% grasa; <1 % proteína y <1 % hidratos de carbono.**

# ALIÑO CÉSAR

## 1 TAZA

PREPARACIÓN: 10 minutos

Hace unos años, en un buen restaurante italiano, degusté una deliciosa ensalada César coronada con queso parmesano bien curado y anchoas enteras. Hasta entonces no supe del importante papel que desempeña la anchoa en la ensalada César. Dicho esto, no dejes que la pasta de anchoa incluida en la lista te eche para atrás en el momento de elaborar esta receta. Si ya has disfrutado de una ensalada César, es muy probable que también hayas disfrutado del sabor de las anchoas. Como sucede con la sal y la pimienta, la proporción de pasta de anchoa y salsa Worcestershire pueden variar a tu gusto. Experimenta con las cantidades y encuentra el punto que satisfaga tu paladar.

2 dientes de ajo, pelados y machacados

2 yemas grandes

El zumo de un limón

1 cucharadita de mostaza amarilla ya preparada

1 cucharadita de pasta de anchoa

1 cucharadita de salsa Worcestershire

½ taza de aceite de oliva virgen extra o aceite de aguacate

¼ de taza de queso parmesano rallado

Sal

Pimienta negra recién molida

**1.** Pon en la batidora el ajo, las yemas, el limón, la mostaza, la pasta de anchoa y la salsa Worcestershire. Bate durante unos treinta segundos, o hasta que la mezcla presente una textura suave.

**2.** Con el procesador funcionando a velocidad media, ve añadiendo muy poco a poco el aceite en la mezcla hasta que espese y se ponga cremosa.

**3.** Añade el queso parmesano y sazona generosamente con sal y pimienta.

**4.** Pasa a un tarro o un recipiente para alimentos y deja enfriar al menos media hora antes de servir.

**Almacenamiento:** En recipientes herméticos puede conservarse una semana en el frigorífico.

**CONSEJO DE INGREDIENTE:** Encontrarás anchoas y la pasta de anchoas en una balda cercana a la del atún enlatado.

Calorías por ración: 19. Total grasas: <1 g; Proteínas: <1 g; Carbohidratos: 4 g, de los cuales 4 son limpios; Fibra: 0 g; Sodio: 10 mg.

**Macros: <1% grasa; <1% proteína y 99% hidratos de carbono.**

# ALIÑO BALSÁMICO

## 1/2 TAZA

**PREPARACIÓN:** 5 minutos

El aliño balsámico no es algo de lo que se pueda prescindir cuando se lleva un estilo de vida cetogénico. La mayoría de los aliños balsámicos o glaseados son ricos en azúcares, por eso te animo a que inviertas parte de tu tiempo en elaborar uno casero. Así podrás emplear el edulcorante bajo en carbohidratos de tu elección.

½ cucharada de mantequilla

2 dientes de ajo picados

¼ taza de vinagre balsámico

⅓ taza de aceite de oliva virgen extra

3 cucharadas de mostaza Dijon

1 cucharada de eritritol

Sal

Pimienta negra recién molida

**1.** Pon una sartén a fuego medio, añade la mantequilla e incorpora el ajo. Cocina, removiendo de vez en cuando, hasta que el ajo se haya dorado, es decir, entre tres y cinco minutos.

**2.** Aparta del fuego, escurre la mantequilla y pon el ajo en un cuenco pequeño.

**3.** En ese mismo cuenco, agrega el vinagre balsámico, el aceite, la mostaza y el eritritol. Sazona con sal y pimienta. Mezcla hasta que todo quede bien incorporado.

**4.** Pasa a un tarro o un recipiente para alimentos.

**Almacenamiento:** En recipientes herméticos puede conservarse una semana en el frigorífico.

Calorías por ración (1 cucharada): 93. Total grasas: 10 g; Proteínas: <1 g; Carbohidratos: 3 g, de los cuales 3 g son limpios; Fibra: <1 g; Sodio: 189 mg.

**Macros: 97% grasa; <1% proteína y 2% hidratos de carbono.**

# ALIÑO RANCHERO
## SIN LÁCTEOS

**1 Y 1/2 TAZAS**

---

**PREPARACIÓN:** 10 minutos

---

Este es un aliño muy versátil y de elaboración fácil. Combina bien con cualquier ensalada, sirve para coronar vegetales asados o al vapor e incluso puede emplearse como marinada. Si no dispones de tiempo o andas apurado, busca en la sección de refrigerados el aliño ranchero más bajo en carbohidratos. Me encanta el aliño vegano que elabora la marca Follow Your Heart; es rico en grasa, sin lácteos y muy bajo en hidratos de carbono.

1 taza de mayonesa (véase pág. 85)

½ taza de leche de coco entera

2 dientes de ajo, picados muy finos

1 cucharada de zumo de limón recién exprimido

1 cucharada de vinagre de sidra de manzana

2 cucharadas de perejil italiano fresco, picado

Sal

Pimienta negra recién molida

**1.** Pon en la batidora el ajo, la mayonesa, la leche de coco, el ajo, el zumo de limón, el vinagre y el perejil. Sazona con sal y pimienta.

**2.** Con el procesador funcionando a alta velocidad, bate durante uno o dos minutos, o hasta que la mezcla ofrezca un aspecto suave.

**3.** Pasa a un tarro o un recipiente para alimentos y deja enfriar al menos una hora antes de servir.

**Almacenamiento:** En recipientes herméticos puede conservarse una semana en el frigorífico.

Calorías por ración (2 cucharadas): 135. Total grasas: 12 g; Proteínas: <1 g; Carbohidratos: 7 g, de los cuales 7 g son limpios; Fibra: <1 g; Sodio: 317 mg.

**Macros: 80% grasa; <1% proteína y 19% hidratos de carbono.**

# ALIÑO DE AGUACATE Y LIMA

I TAZA

**PREPARACIÓN: 10 minutos**

El mayor desafío a la hora de hacer un recetario de preelaboraciones cetogénicas fue no poder emplear aguacate fresco, pues al día siguiente tendrás un producto oxidado coronando tu ensalada o tus tacos. Esta receta supone un excelente modo de aprovechar los numerosos beneficios de incluir el aguacate en tu dieta alta en grasas. Muchos seguidores de dietas cetogénicas no son muy aficionados a los aguacates debido a su textura, pero esta receta te ayudará a superar esa circunstancia con un maravilloso sabor.

1 aguacate de tamaño medio, partido a la mitad, deshuesado y pelado

1 ramo de cilantro con las hojas picadas

2 dientes de ajo pelados

½ taza de crema agria

3 cucharadas de aceite virgen extra

1 cucharada de vinagre de sidra de manzana

1 cucharada de zumo de lima recién exprimida

1 cucharadita de sal

½ cucharadita de ajo en polvo

½ cucharadita de comino molido

½ cucharadita de pimienta negra recién molida

1 jalapeño, picado y sin semillas (opcional)

**1.** Pon en la batidora el aguacate, el cilantro, el ajo, la crema agria, el aceite, el vinagre, el zumo de lima, la sal, el ajo en polvo, el comino, la pimienta y el jalapeño, si gustas.

**2.** Bate hasta que la mezcla presente una textura suave.

**3.** Añade agua o crema si el aliño ha salido espeso, o algo más de aguacate si quieres engordar una salsa demasiado suelta.

**4.** Pasa a un tarro o un recipiente para alimentos.

**Almacenamiento**: En recipientes herméticos puede conservarse cuatro días en el frigorífico.

Calorías por ración: 131. Total grasas: 13 g; Proteínas: 1 g; Carbohidratos: 4 g, de los cuales 2 g son limpios; Fibra: 2 g; Sodio: 301 mg

**Macros: 89% grasa; 3% proteína y 8% hidratos de carbono.**

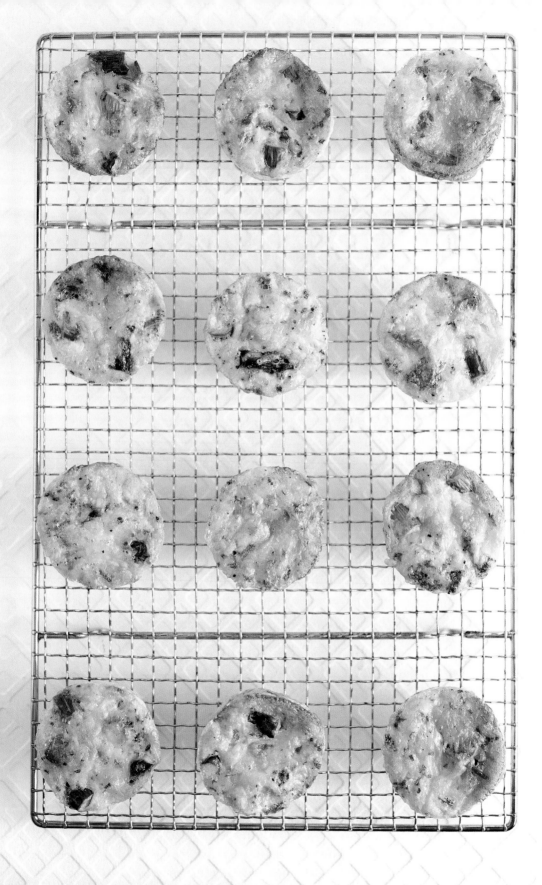

# DESAYUNOS

« Magdalenas de panceta con espárragos  (pág. 96)

# TORTITAS DE HARINA DE COCO

**6 RACIONES**

PREPARACIÓN: 10 minutos    COCINADO: 15 minutos

La harina de coco tiene una magnífica textura para hacer tortitas, y su sabor no es demasiado intenso. Puede que sientas la tentación de preelaborar la masa y cocinar tortitas frescas, pero te aconsejo que no lo hagas. Haz las tortitas para almacenarlas. A medida que pasa el tiempo, la harina de coco absorbe más y más líquido, haciendo de la masa un elemento difícil de trabajar si se asienta. Corona con sirope sin azúcar y bajo en carbohidratos o con un puñado de bayas y crema batida edulcorada con una pizca de eritritol.

1 taza de mantequilla sin sal, fundida, o aceite de coco

1 taza de crema batida o leche de coco entera

8 huevos grandes, batidos

1 cucharadita de extracto de vainilla

1 taza de harina de coco

1 cucharada de eritritol

2 cucharaditas de levadura química (tipo Royal)

1 pizca de sal

**1.** En un cuenco de tamaño medio, mezcla la mantequilla, la crema, los huevos y la vainilla.

**2.** En un cuenco grande, mezcla la harina de coco, el eritritol, la levadura química y la sal.

**3.** Agrega los ingredientes líquidos a los secos y bate hasta que se mezclen.

**4.** Calienta una plancha o sartén antiadherente a fuego medio-fuerte. Pinta con un poco de mantequilla fundida o aceite de coco.

**5.** Empleando una cuchara, coloca porciones de ¼ de taza en la plancha caliente. Cocina durante dos minutos o hasta que se formen burbujas en la cima.

**6.** Voltea con una espátula. Cocina durante dos o tres minutos más, o hasta que la base haya adquirido un ligero tono tostado.

**7.** Coloca tres tortitas en cada uno de los recipientes.

**Almacenamiento:** En botes herméticos, pueden durar cinco días en el frigorífico y seis meses en el congelador. Para descongelar, déjalas toda la noche en el frigorífico. Caliéntalas un minuto en el microondas, o hasta que se calienten, o cinco o diez minutos en un horno a 175 °C.

Calorías por ración: 518. Total grasas: 40 g; Proteínas: 13 g; Carbohidratos: 31 g, de los cuales 15 g son limpios; Fibra: 16 g; Sodio: 646 mg.

**Macros: 70% grasa; 10% proteína y 20% hidratos de carbono.**

# TORTILLA DE PIMIENTOS ASADOS

**4 RACIONES**

PREPARACIÓN: 10 minutos    COCINADO: 55 minutos

Estos pimientos son perfectos para un desayuno improvisado, pues se conservan muy bien y pueden recalentarse en el microondas. El pimiento puede ser del color que gustes. Recuerda limpiarlo bien de semillas y quitar los nervios fibrosos para reducir el amargor y el picor.

2 pimientos morrones, partidos en dos a lo largo, sin semillas ni nervios

¼ kg de salchicha italiana

115 g de champiñones cortados en láminas

8 huevos grandes, batidos

¼ taza de crema batida

1 cucharadita de sazonador italiano

½ cucharadita de sal

⅛ cucharadita de pimienta negra recién molida

1 pizca de guindilla seca, en escamas

½ taza de queso parmesano rallado

1.  Precalienta el horno a 200 °C.

2.  Coloca los pimientos, con los cortes hacia arriba, en una bandeja para horno. Asa durante cinco minutos hasta que ablanden.

3.  Mientras, en una sartén grande con el fondo antiadherente, calienta la salchicha a fuego medio-fuerte, deshaciéndola con una cuchara durante cinco minutos o hasta que se haya dorado.

4.  Añade los champiñones y cocina, removiendo de vez en cuando, otros cinco minutos o hasta que ablanden. Deja enfriar un poco.

5.  Mezcla en un cuenco los huevos, la crema, el sazonador italiano, la sal, la pimienta y las escamas de guindilla.

6.  Mezcla con la carne y los champiñones, ahora algo más fríos.

7.  Vierte la masa en las mitades de pimiento. Espolvorea con queso.

8.  Llévalos de nuevo al horno. Hornea durante unos cuarenta minutos o hasta que los huevos se hayan hecho y el queso esté dorado. Deja enfriar.

9.  Coloca una mitad de pimiento relleno en cada uno de los cuatro recipientes.

CONTINÚA...

**Almacenamiento**: En botes herméticos, pueden durar cinco días en el frigorífico, y hasta seis meses en el congelador. Para descongelar, déjalos toda la noche en el frigorífico. Caliéntalos un minuto o dos en el microondas, o hasta que estén calientes, o unos treinta minutos en un horno a 200 °C.

**CONSEJO:** Reemplaza la salchicha con una cantidad equivalente de panceta, frita y desmigada.

Calorías por ración: 459. Total grasas: 34 g; Proteínas: 33 g; Carbohidratos: 7 g, de los cuales 6 g son limpios; Fibra: 1 g; Sodio: 1.048 mg.

**Macros: 67% grasa; 29% proteína y 4% hidratos de carbono.**

# REVUELTO *TEX-MEX* | 4 RACIONES

PREPARACIÓN: 10 minutos   COCINADO: 15 minutos

Si te gustan los desayunos especiados, este es perfecto para ti. Para templarlo un poco, acompáñalo con crema agria o tu versión favorita de guacamole. Se cocina rápido, se conserva bien y puedes recalentarlo con facilidad.

225 g de carne de chorizo fresco

6 cebolletas con sus tallos y cabezas picadas

1 jalapeño picado y limpio de semillas

2 dientes de ajo picados

8 huevos grandes, batidos

½ taza de queso cheddar rallado

**1.** En una sartén grande con fondo antiadherente, cocina el chorizo a fuego medio-fuerte, deshaciéndolo con una cuchara durante cinco minutos o hasta que se dore.

**2.** Añade las cebolletas y el jalapeño y cocina unos tres minutos más, removiendo de vez en cuando.

**3.** Agrega el ajo y cocina treinta segundos sin dejar de remover.

**4.** Incorpora los huevos.

**5.** Cocina durante unos tres minutos más revolviendo los huevos hasta que se hayan hecho.

**6.** Espolvorea el queso y dale una última vuelta a la mezcla para que se combine con el calor.

**7.** Reparte el revuelto en cuatro recipientes.

**Almacenamiento:** En botes herméticos, puede durar tres días en el frigorífico, y seis meses en el congelador. Para descongelar, déjalo toda la noche en el frigorífico. Caliéntalo un minuto o dos en el microondas.

Calorías por ración: 508. Total grasas: 40 g; Proteínas: 17 g; Carbohidratos: 32 g, de los cuales 5 g son limpios; Fibra: <1 g; Azúcar: 2 g; Sodio: 1.002 mg.

**Macros: 71% grasa; 25% proteína y 4% hidratos de carbono.**

# MAGDALENAS DE PANCETA CON ESPÁRRAGOS

**6 RACIONES**

PREPARACIÓN: 10 minutos    COCINADO: 25 minutos

Si solo dispones de seis moldes para magdalenas, entonces divide la cantidad de ingredientes por la mitad. Los moldes de silicona son especialmente buenos para hacer magdalenas de huevo para desayunar, pues es fácil desmoldarlas. Si gustas, prueba a variar la carne o los vegetales de esta receta.

Aceite de coco, mantequilla o aceite virgen extra para engrasar

4 cucharadas (media barra) de mantequilla sin sal

225 g de panceta picada

½ cebolla picada

½ kg de espárragos, limpios y cortados en tamaños de bocado

1 taza de queso gruyere, o cualquier otro queso suizo, rallado

10 huevos grandes, batidos

¼ taza de crema batida

1 cucharadita de mostaza Dijon

1 cucharadita de romero seco

½ cucharadita de sal

⅛ cucharadita de pimienta negra recién molida

1.    Precalienta el horno a 190 °C. Engrasa doce moldes para magdalenas.

2.    En una sartén grande con el fondo antiadherente, calienta la mantequilla a fuego medio-fuerte hasta que bulla. Añade la panceta y cocínala unos cinco minutos, o hasta que se haya dorado.

3.    Agrega la cebolla y los espárragos y cocina, removiendo de vez en cuando, unos cinco minutos más hasta que se pongan tiernos. Reparte la mezcla resultante en los moldes empleando una cuchara y espolvorea con queso.

4.    Mezcla los huevos, la crema, la mostaza, el romero, la sal y la pimienta en un cuenco grande. Vierte la mezcla sobre la combinación de vegetales y queso dispuesta en los moldes.

5.    Hornea hasta que los huevos hayan cuajado, es decir, unos doce o quince minutos. Deja enfriar un poco y saca las magdalenas del molde. Coloca dos magdalenas en cada uno de los seis recipientes.

**Almacenamiento:** En botes herméticos, pueden durar tres días en el frigorífico y seis meses en el congelador. Para descongelar, déjalas toda la noche en el frigorífico. Caliéntalas un minuto o dos en el microondas o diez minutos en un horno a 190 °C.

Calorías por ración: 411. Total grasas: 31 g; Proteínas: 27 g; Carbohidratos: 7 g, de los cuales 5 g son limpios; Fibra: 2 g; Sodio: 900 mg.

**Macros: 68% grasa; 26% proteína y 6% hidratos de carbono.**

# MAGDALENAS DE HUEVO CON PANCETA Y SALSA HOLANDESA DE AGUACATE

**6 RACIONES**

PREPARACIÓN: 10 minutos   COCINADO: 20 minutos

Si te gustan los huevos Benedictinos, en esta receta encontrarás una variante cetogénica de cocinado rápido y sencillo. Normalmente, la salsa holandesa puede resultar un poco complicada y requerir un tiempo de horneado muy concreto. Esta variante se hace rápido en una batidora, empleando un cremoso aguacate y muchos cítricos para evitar que la oxidación lo oscurezca.

6 tiras de panceta

6 huevos grandes

Pimienta negra recién molida

1 aguacate, pelado, sin hueso y abierto por la mitad

½ taza de agua caliente

El zumo y la ralladura de un limón

½ cucharadita de sal

1 pizca de cayena

¼ taza de aceite de oliva virgen extra

**1.** Precalienta el horno a 200 °C.

**2.** Forra seis moldes antiadherentes de magdalenas con las lonchas de panceta. Sazona con pimienta.

**3.** Hornea diez minutos.

**4.** Saca del horno y, con cuidado, pon un huevo en cada molde.

**5.** Devuelve al horno y deja cocinar unos diez minutos más o hasta que se cuajen los huevos.

**6.** Mientras, empleando una batidora, mezcla el aguacate, el agua caliente, el zumo y la ralladura de limón, la sal y la cayena. Mezcla hasta que adquiera una textura suave, haciendo pausas para limpiar los bordes del cuenco.

**7.** Con la batidora funcionando, vete añadiendo el aceite de oliva formando un chorro muy fino y continúa hasta que todo esté bien incorporado. Reparte en los seis recipientes individuales.

**8.** Cuando estén hechas las magdalenas de huevo, sácalas del molde.

**9.** Coloca una de esas magdalenas en cada recipiente. Riega con salsa holandesa antes de servir.

**Almacenamiento:** La sala holandesa y las magdalenas de huevo deben guardarse en el frigorífico en recipientes separados. Esta salsa solo se conservará unos días, así que es mejor hacer poca; los huevos se conservarán cuatro días en el frigorífico.

**CONSEJO:** Puedes emplear beicon canadiense, que es el que suele utilizarse en la receta de huevos Benedictinos. Además, recomiendo emplear un aguacate de la variedad Hass para cocinar esta receta. Puedes distinguirlo por su piel irregular y su oscuro color verde, casi negro.

Calorías por ración: 428. Total grasas: 42 g; Proteínas: 9 g; Carbohidratos: 5 g. de los cuales 2 g son limpios; Fibra: 3 g; Sodio: 608 mg.

**Macros: 88% grasa; 9% proteína y 3% hidratos de carbono.**

# *FRITTATA* DE CEBOLLA CARAMELIZADA

**4 RACIONES**

PREPARACIÓN: 10 minutos   COCINADO: 35 minutos

La *frittata* italiana es un plato cetogénico y económico. Y una comida improvisada cuando tengo vegetales que debo consumir y algo de proteína por ingerir. También tiene una preelaboración muy sencilla. Tradicionalmente, estas *frittatas* tenían una forma redondeada debido a que se cocinaban en sartenes de hierro fundido, pero quedan igual de buenas cuadradas, si empleas un plato de horno.

¼ taza de aceite de aguacate

1 cebolla amarilla cortada en láminas finas o la mitad de la receta de cebollas caramelizadas (véase pág. 126)

1 cucharadita de tomillo seco

½ cucharadita de sal

⅛ cucharadita de pimienta negra recién molida

1 aguacate, pelado, sin hueso y abierto por la mitad

½ taza de agua caliente

8 huevos grandes, batidos

1.   Precalienta la parrilla a fuego fuerte y coloca la rejilla en la posición superior.

2.   En una sartén adecuada para el horno, calienta el aceite a fuego medio-fuerte hasta que brille.

3.   Añade entonces la cebolla, el tomillo, la sal y la pimienta. Remueve una o dos veces y reduce el fuego a medio-bajo.

4.   Cocina, removiendo de vez en cuando, durante unos treinta minutos o hasta que las cebollas hayan adquirido un fuerte tono tostado. Extiéndelas hasta formar una capa regular sobre la base de la sartén.

5.   Vierte los huevos sobre la cebolla, con cuidado, y cocina hasta que hayan cuajado los bordes. Emplea una espátula para separar los bordes, mueve la sartén y deja que el huevo sin hacer llene los espacios que acabas de crear. Cocina unos 20 o 25 minutos más o hasta que vuelva a cuajar

6.   Pasa a la parrilla y asa unos tres o cinco minutos o hasta que los huevos crezcan y muestren un todo dorado.

7.   Deja enfriar y corta en cuatro cuñas.

8.   Coloca en cada uno de los recipientes una de esas cuñas.

**Almacenamiento:** En botes herméticos, puede durar cinco días en el frigorífico y hasta seis meses en el congelador. Para descongelar, déjala toda la noche en el frigorífico. Caliéntala un minuto o dos en el microondas o cinco o diez minutos en un horno a 190 °C.

> **CONSEJO:** Si puedes consumir lácteos, corona la *frittata* con ½ taza de queso suizo o queso de Asiago justo antes de ponerla en la parrilla.

Calorías por ración: 156. Total grasas: 11 g; Proteínas: 12 g; Carbohidratos: 11 g, de los cuales 4 g son limpios; Fibra: 1 g; Sodio: 359 mg.

**Macros: 63% grasa; 31% proteína y 6% hidratos de carbono.**

# *PIZZA* DE **TORTILLA**

**4 RACIONES**

PREPARACIÓN: 10 minutos    COCINADO: 35 minutos

¿Recuerdas cuándo desayunabas pedazos de *pizza* fría? Pues esta tortilla es la versión adulta de la *pizza* fría. Templada, fragrante y pegajosa. No te preocupes y cambia los ingredientes hasta lograr la *pizza* que adoras.

2 cucharadas de mantequilla sin sal

225 g de panceta cortada en dados

½ cebolla picada fina

1 taza de champiñones cortados en láminas

8 huevos grandes, batidos

¼ taza de crema batida

1 cucharadita de orégano seco

Una pizca de pimienta roja molida en copos

½ taza de *mozzarella* rallada

8 tomates uva cortados en mitades

**CONSEJO:** Sustituye la panceta cruda por panceta ahumada (beicon) o pimientos picados. Si lo haces, en vez de precocinar la carne antes de añadir los vegetales, cocina todo junto durante unos cuatro minutos o hasta que las hortalizas ablanden. También puedes emplear queso parmesano en vez de *mozzarella*.

**1.**    Precalienta la parrilla a fuego fuerte y coloca la rejilla en la posición superior.

**2.**    En una sartén adecuada para el horno, calienta la mantequilla a fuego medio-fuerte hasta que bulla. Añade la panceta y cocínala removiendo de vez en cuando durante tres o cinco minutos o hasta que comience a adquirir un tono dorado.

**3.**    Agrega la cebolla y los champiñones y cocina, removiendo de vez en cuando, durante tres minutos más, o hasta que las hortalizas se hayan ablandado. Distribuye la mezcla formando una capa uniforme en el fondo de la sartén.

**4.**    Mezcla los huevos, la crema, el orégano y los copos de pimienta roja. Viértelos en la sartén caliente. Cocina sin remover, permitiendo que los bordes cuajen. Empleando una espátula, despega los bordes, mueve la sartén y deja que el huevo rellene los huecos que has creado. Cocina otros tres minutos o hasta que los bordes vuelvan a cuajar.

**5.**    Espolvorea el queso sobre los huevos y corona con los tomates. Pon bajo la parrilla ya caliente durante tres o cinco minutos hasta que el queso se funda y adquiera un suave tono dorado.

**6.**    Deja enfriar un poco y corta formando cuatro cuñas. Coloca en cada uno de los cuatro recipientes una de esas cuñas.

**Almacenamiento:** En botes herméticos, pueden durar cinco días en el frigorífico, y hasta seis meses en el congelador. Para descongelar, déjala toda la noche en el frigorífico. Caliéntala un minuto o dos en el microondas o cinco o diez minutos en un horno a 190 °C.

Calorías por ración: 644. Total grasas: 47 g; Proteínas: 43 g; Carbohidratos: 14 g, de los cuales 10 g son limpios; Fibra: 4 g; Sodio: 1.660 mg.

**Macros: 66% grasa; 27% proteína y 7% hidratos de carbono.**

# CAZUELA DE SALCHICHAS, HUEVOS Y QUESO

**12 RACIONES**

PREPARACIÓN: 10 minutos   COCINADO: 70 minutos

Esta receta es abundante y se congela bien, lo cual hace de ella una preelaboración perfecta. Con unas sencillas variaciones puedes cambiar sabores e ingredientes lo suficiente para garantizar una gran variedad. Realiza variantes, congela y decide qué te apetece cada mañana.

½ kg de salchichas frescas
1 cebolla picada
9 huevos grandes, batidos
1 taza de crema batida
½ cucharadita de sal
⅛ cucharadita de pimienta
negra recién molida
1 taza de queso
suizo rallado

1.   Precalienta el horno a 175 °C. Engrasa un plato de horno de 34 x 21 cm.

2.   Calienta una sartén grande con el fondo antiadherente a fuego medio-fuerte.

3.   Agrega la salchicha y cocínala, deshaciéndola con una cuchara o espátula, durante unos cinco minutos o hasta que se haya dorado.

4.   Agrega la cebolla y cocina hasta que ablande, es decir, dos o tres minutos más. Saca del fuego y reserva.

5.   Mientras se enfría la carne, bate los huevos con la crema, la sal y la pimienta.

6.   Añade las salchichas y el queso a la mezcla.

7.   Extiende sobre el plato formando una capa uniforme y hornea durante una hora, o hasta que cuaje.

8.   Deja enfriar un poco antes de cortarlo en doce porciones. Coloca una porción en cada uno de los doce recipientes.

**Almacenamiento:** En botes herméticos, puede durar cinco días en el frigorífico, y hasta seis meses en el congelador. Para descongelar, déjalo toda la noche en el frigorífico. Caliéntalo un minuto o dos en el microondas o veinte minutos en un horno a 175 °C.

Calorías por ración: 285. Total grasas: 23 g; Proteínas: 17 g; Carbohidratos: 2 g, de los cuales 2 g son limpios; Fibra: <1 g; Sodio: 448 mg.

**Macros: 72% grasa; 24% proteína y 4% hidratos de carbono.**

**CONSEJO:** También podrías elaborar un especiado plato *tex-mex* si sustituyes la salchicha por chorizo y el queso suizo por queso Monterrey Jack.

# ALMUERZOS Y CENAS

◄◄ Cuencos de burritos de cerdo (pág. 114)

# ENSALADA
## DE SALMÓN

**4 RACIONES**

PREPARACIÓN: 10 minutos

La ensalada de salmón es un plato excelente para llevar contigo. Consúmela tal cual o enrollada en una hoja de lechuga, o sobre una cama elaborada con tus verduras preferidas para disfrutar de un almuerzo o una cena rápida y deliciosa.

225 g de salmón desmigado, fresco o en conserva

3 cebolletas con las cabezas y los tallos finamente picados

3 pepinillos finamente picados

½ taza de mayonesa

3 cucharadas de aceite de oliva virgen extra

1 cucharadita de mostaza Dijon

El zumo y la ralladura de un limón

1 cucharadita de eneldo seco

⅛ cucharadita de pimienta negra recién molida

1. Mezcla el salmón, la cebolleta y el pepinillo en un cuenco grande.

2. En uno pequeño, combina la mayonesa, el aceite, la mostaza, el zumo de limón y su ralladura, el eneldo y la pimienta.

3. Incorpora la vinagreta en la mezcla de salmón.

4. Reparte la ensalada en cuatro recipientes para alimentos.

**Almacenamiento:** No congela bien, pero en un recipiente hermético se conserva cinco días en el frigorífico.

**CONSEJO:** Para elaborar esta ensalada también se puede emplear atún en conserva o camarones.

Calorías por ración: 446. Total grasas: 31 g; Proteínas: 34 g; Carbohidratos: 11 g, de los cuales 9 g son limpios; Fibra: 2 g; Sodio: 1.086 mg.

**Macros: 62% grasa; 30% proteína y 8% hidratos de carbono.**

# ENSALADA DE POLLO CON VINAGRETA DE MOSTAZA

**4 RACIONES**

PREPARACIÓN: 15 minutos

Si compras un pollo asado, esta receta será muy rápida y no necesitarás cocinar. A esta ensalada le puedes añadir cualquier verdura o queso que gustes, pero asegúrate de que los vegetales no contengan almidones.

- ½ kg de carne de pollo asado picado con su piel
- 2 huevos duros (véase pág. 81) pelados y picados
- ½ taza de aceitunas negras cortadas en láminas
- 1 pimiento morrón rojo, limpio de nervios y semillas y picado
- 1 lata de 400 g de corazones de alcachofa, escurridos y picados
- 8 tomates uva cortados en cuartos
- 2 cucharadas de mostaza Dijon
- ½ taza de aceite de oliva virgen extra
- 3 cucharadas de vinagre de sidra de manzana
- 1 cucharada de chalotas picadas
- ½ cucharadita de sal
- ⅛ cucharadita de pimienta negra recién molida
- 1 pizca de pimienta roja molida en copos

**1.** En un cuenco grande, mezcla el pollo, los huevos, las aceitunas, el pimiento morrón, las alcachofas y los tomates uva hasta que todo quede bien incorporado.

**2.** En uno pequeño, mezcla bien la mostaza, el aceite, el vinagre, las chalotas, la sal, la pimienta y los copos de pimienta roja.

**3.** Reparte la ensalada de pollo en cuatro recipientes y divide la vinagreta en cuatro tarros individuales. Aliña antes de servir.

**Almacenamiento:** La vinagreta no congelará bien pero, en un bote hermético, durará una semana en el frigorífico. La ensalada, en recipientes herméticos, puede durar unos cinco días en el frigorífico

Calorías por ración: 499. Total grasas: 40 g; Proteínas: 22 g; Carbohidratos: 18 g, de los cuales 12 g son limpios; Fibra: 6 g; Azúcar: 9 g; Sodio: 596 mg.

**Macros: 72% grasa; 18% proteína y 10% hidratos de carbono.**

# CREMA DE SETAS

**4 RACIONES**

PREPARACIÓN: 15 minutos y una hora de remojo  COCINADO: 10 minutos

Los boletos secos le proporcionarán un intenso sabor a esta sabrosa receta. Si no pudieses encontrar boletos secos, emplea cualquier otra variedad que encuentres.

60 g de boletos secos

3 tazas de caldo de pollo o verduras bajo en sodio

4 cucharadas (½ barra) de mantequilla sin sal

1 chalota finamente picada

½ kg de champiñones cortados en láminas

½ taza de jerez o vino blanco seco

1 cucharadita de tomillo seco

½ cucharadita de sal

⅛ cucharadita de pimienta negra recién molida

1½ tazas de crema batida

1.  Pon los boletos secos y el caldo de verduras en un cazo de tamaño mediano y cuece a fuego lento. Quita del fuego y deja reposar al menos una hora. Cuanto más tiempo los dejes a remojo, más sabor adquirirá el caldo.

2.  Saca las setas del caldo, pícalas y reserva el líquido.

3.  Calienta la mantequilla en una fuente gande a fuego medio-fuerte hasta que brille. Añade las chalotas y los champiñones y cocina, removiendo de vez en cuando, durante cinco o siete minutos o hasta que los hongos hayan adquirido un profundo tono dorado.

4.  Agrega el jerez y continúa cocinando sin dejar de remover durante un minuto.

5.  Añade el caldo, las setas picadas el tomillo, la sal y la pimienta. Cuece a fuego lento.

6.  Incorpora la crema. Cocina sin dejar de remover hasta que la sopa vuelva a cocer a fuego lento, unos cinco minutos.

7.  Pon taza y media de crema de setas en cada uno de los cuatro recipientes.

**Almacenamiento:** En botes herméticos, puede durar cinco días en el frigorífico y hasta seis meses en el congelador. Para descongelar, déjalo toda la noche en el frigorífico. Caliéntalo unos minutos a fuego medio-fuerte hasta que esté a tu gusto.

**CONSEJO:** También puedes emplear esta receta en otros platos, como la cazuela de judías verdes al queso (véase pág. 129 ) o disfrutar de ella como la sabrosa crema que es.

Calorías por ración: 355. Total gasas: 29 g; Proteínas: 8 g; Carbohidratos: 17 g, de los cuales 13 g son limpios; Fibra: 4 g; Azúcar 5 g; Sodio: 355 mg.

**Macros: 74% grasa; 9% proteína y 17% hidratos de carbono.**

# ARROZ CON POLLO

**4 RACIONES**

PREPARACIÓN: 15 minutos  COCINADO: 20 minutos

Una de las mejores cosas de los sabores *tex-mex* es que puedes alegrarlos con extras como un poco de aguacate picado o una cucharada de crema agria. Esta variante del arroz con pollo, elaborada con arroz de coliflor, es ligeramente picante y llena de sabor.

¼ taza de aceite de aguacate

½ kg de muslos de pollo, deshuesados, sin piel y picados

1 cebolla picada

225 g de champiñones cortados en láminas

1 lata de 400 g de tomate en su jugo

1 cucharada de guindilla en polvo

1 cucharadita de orégano seco

1 cucharadita de comino molido

1 cucharadita de ajo en polvo

½ cucharadita de sal

1 pizca de cayena

2 tazas de arroz de coliflor crudo (véase pág. 83)

1 taza de queso Monterrey Jack rallado

½ taza de crema agria, para decorar

**1.** En una sartén gande con el fondo antiadherente, calienta el aceite de aguacate a fuego medio-fuerte hasta que brille.

**2.** Añade el pollo y cocina, removiendo de vez en cuando, durante unos cinco minutos o hasta que se dore. Con una espumadera, saca el pollo y reserva.

**3.** Incorpora la cebolla y los champiñones. Cocina, removiendo de vez en cuando, unos cinco minutos o hasta que los vegetales se hayan dorado.

**4.** Coloca de nuevo el pollo en la sartén, entre las verduras, junto con cualquier jugo que haya podido quedar en el plato.

**5.** Añade los tomates y su jugo, la guindilla en polvo, el orégano, el comino, el ajo en polvo, la sal y la cayena. Lleva a bullir a fuego lento sin dejar de remover.

**6.** Agrega la coliflor. Deja cocer, removiendo de vez en cuando, durante cinco minutos.

**7.** Añade el queso. Cocina sin dejar de remover hasta que el queso se funda e incorpore por completo, lo cual llevará unos dos minutos.

**8.** Reparte el arroz con pollo en cuatro recipientes. Para servir, adorna con crema agria.

**Almacenamiento:** En botes herméticos, puede durar cinco días en el frigorífico y hasta seis meses en el congelador. Para descongelar, déjalo toda la noche en el frigorífico. Caliéntalo un minuto o dos en el microondas.

Calorías por ración: 513. Total grasas: 35 g; Proteínas: 31 g; Carbohidratos: 20 g, de los cuales 13 g son limpios; Fibra: 7 g; Sodio: 687 mg.

**Macros: 61% grasa; 24% proteína y 15% hidratos de carbono.**

# *FETTUCCINE* ALFREDO CON **CHAMPIÑONES** Y **PANCETA**

**6 RACIONES**

PREPARACIÓN: 10 minutos   COCINADO: 20 minutos

La salsa lo es todo en esta receta: cremosa, deliciosa y, además, se conserva bien. Conserva los tallarines de calabacín secos, sin salsa. Puedes ir a la tienda y comprar tallarines de calabacín ya preparados, pero es muy sencillo elaborarlos empleando el espiralizador o un simple pelador para sacar tiras anchas, con forma de cordón, a partir de un calabacín.

4 cucharadas de aceite de oliva virgen extra, repartidas

180 g de panceta cortada en dados

2 cucharadas de chalotas picadas

225 g de champiñones cortados en láminas

4 calabacines cortados en tiras

3 dientes de ajo, picados

225 g de crema de queso

8 cucharadas (1 barra) de mantequilla sin sal

½ de crema batida

1 taza de queso parmesano rallado

⅛ cucharadita de pimienta negra recién molida

**1.** En una sartén grande, calienta dos cucharadas de aceite a fuego medio-fuerte hasta que brille. Añade la panceta y cocina unos cinco minutos, o hasta que se dore. Sácala del fuego empleando una espumadera y reserva en un plato.

**2.** Añade las otras dos cucharadas de aceite en la sartén. Agrega las chalotas y los champiñones. Cocina, removiendo de vez en cuando durante unos cinco minutos o hasta que se hayan dorado. Añade el calabacín y cocina, removiendo de vez en cuando, unos tres minutos más, hasta que esté tierno. Incorpora el ajo y cocina durante treinta segundos sin dejar de remover. Devuelve la panceta a la sartén y cocina durante otros treinta segundos hasta que adquiera temperatura.

**3.** Mientras se cocinan los vegetales, calienta la crema de queso, la mantequilla, la crema batida, el parmesano y la pimienta en un cazo de tamaño medio a fuego medio-bajo, removiendo a medida que se funde para que todo quede bien incorporado. Cocina, removiendo de vez en cuando, unos cinco minutos o hasta que haya calentado bien.

**4.** Coloca los vegetales a un lado de cada uno de los cuatro recipientes y la salsa al otro. Mezcla antes de servir.

**Almacenamiento:** En botes herméticos, puede durar cuatro días en el frigorífico, y hasta seis meses en el congelador. Para descongelar, déjalo toda la noche en el frigorífico. Calienta la salsa y los fideos por separado antes de mezclar. Emplea un minuto o dos en el microondas o en un fuego medio-alto hasta que alcance la temperatura deseada. Quizá necesites un poco de leche para ajustar la textura final.

**HAZLA VEGETARIANA:** Prescinde de la panceta. También puedes añadir una pizca de guindilla molida si quieres darle un toque picante.

Calorías por ración: 691. Total grasas: 62 g; Proteínas: 29 g; Carbohidratos: 10 g, de los cuales 8 g son limpios; Fibra: 2 g; Sodio: 1.246 mg.

**Macros: 80% grasa; 17% proteína y 3% hidratos de carbono.**

# CALDERETA DE ATÚN | 9 RACIONES

PREPARACIÓN: 20 minutos  COCINADO: 70 minutos

Esta sencilla caldereta emplea la crema de setas (véase pág. 108). Los trozos de calabacín reemplazan a los fideos, pero no los echarás de menos en absoluto, pues esta caldereta está llena de sabor.

¼ de taza de aceite de aguacate

1 cebolla picada

2 calabacines cortados en láminas

3 dientes de ajo, picados

La elaboración de la crema de setas (véase pág. 108), enfriada

La ralladura de un limón

1 cucharadita de eneldo seco

1 cucharada de mostaza Dijon

½ kg de atún en aceite, escurrido

1 taza de queso cheddar rallado

1. Precalienta el horno a 175° C.

2. Calienta el aceite en una sartén grande de fondo antiadherente hasta que brille. Añade la cebolla y el calabacín, y cocina, removiendo de vez en cuando, unos cinco minutos hasta que los vegetales comiencen a ablandar.

3. Añade el ajo y cocina sin dejar de remover durante treinta segundos. Quita del fuego y deja enfriar.

4. En un cuenco grande, mezcla la crema de setas, la ralladura de limón, el eneldo y la mostaza. Bate hasta que quede suave. Añade los vegetales templados, el atún y el queso. Mezcla hasta incorporarlo todo bien.

5. Extiende en un plato de horno de 34 x 21 cm. Hornea hasta que la mezcla bulla, más o menos una hora. Deja enfriar

6. Reparte la caldereta en los nueve recipientes.

**Almacenamiento:** En botes herméticos, puede durar tres días en el frigorífico y hasta seis meses en el congelador. Para descongelar, déjala toda la noche en el frigorífico. Caliéntala uno o dos minutos en el microondas o 15 o 20 minutos en un horno a 190 °C .

Calorías por ración: 761. Total grasas: 59 g; Proteínas: 53 g; Carbohidratos: 12 g, de los cuales 9 son limpios; Fibra: 3 g; Sodio: 473 mg.

**Macros: 70% grasa; 28% proteína y 2% hidratos de carbono.**

# CAZUELA DE POLLO AL QUESO CON CHAMPIÑONES

**8 RACIONES**

PREPARACIÓN: 20 minutos  COCINADO: 75 minutos

Esta es una receta cremosa, saciante, deliciosa y de fácil preelaboración. Congela muy bien (hasta seis meses en recipientes individuales) y dura tres días en el frigorífico. También puedes cocinarla en la olla a presión durante veinte minutos.

8 muslos de pollo con hueso

½ kg de champiñones cortados a la mitad

225 g (una bolsa) de cebollas perla congeladas

La elaboración de la crema de setas (véase pág. 108), enfriada

1 taza de queso cheddar rallado

1. Precalienta el horno a 175° C.

2. En un plato de horno de 34 x 21 cm, dispón los muslos de pollo, los champiñones y las cebollas perla de modo que quede todo bien mezclado y repartido por el fondo.

3. Incorpora el queso con la crema en un cuenco. Vierte sobre el pollo, los champiñones y las cebollas.

4. Cubre con una hoja de papel de aluminio y hornea durante una hora y cuarto, o hasta que el pollo esté hecho y haya soltado su jugo. Deja enfriar.

5. Divide entre los ocho recipientes.

**Almacenamiento:** En botes herméticos, puede durar tres días en el frigorífico y hasta seis meses en el congelador. Para descongelar, déjala toda la noche en el frigorífico. Caliéntala uno o dos minutos en el microondas o 20 o 30 minutos en un horno a 190 °C.

**CONSEJO:** Si gustas, sirve esta receta con unas cucharadas de salsa sobre arroz de coliflor (véase pág. 83) o sobre puré de coliflor (véase pág. 127).

Calorías por ración: 609. Total grasas: 56 g; Proteínas: 25 g; Carbohidratos: 11 g. de los cuales 9 son limpios: Fibra: 2 g; Sodio: 383 mg.

**Macros: 83% grasa; 16% proteína y 1% hidratos de carbono.**

# CUENCOS DE BURRITOS DE CERDO

**4 RACIONES**

PREPARACIÓN: 15 minutos (entre 4 y 8 horas de marinado)   COCINADO: 20 minutos

Los cuencos de burritos se conservan y recalientan muy bien. Y son deliciosos. Si es posible, elabora el adobo por la mañana, y deja la carne marinar al menos ocho horas para que el sabor pueda penetrar de verdad. Cocina la carne y los pimientos a la hora de la cena.

½ taza de aceite de aguacate, divida en dos partes

1 las hojas picadas de un ramito de cilantro fresco

El zumo de 3 limas

1 pimiento jalapeño, picado

½ cucharadita de sal

6 dientes de ajo, picados

6 cebolletas, con las cabezas y los tallos finamente picados

½ kg de panceta

1 cebolla cortada en láminas

1 pimiento morrón verde, cortado en láminas finas

2 tazas de arroz de coliflor cocinado (véase pág. 83)

1 taza de queso Monterrey Jack rallado

½ taza de crema agria

1 aguacate abierto por la mitad, deshuesado, pelado y cortado

**1.** En un cuenco de tamaño mediano, incorpora bien ¼ de taza de aceite, el cilantro, el zumo de lima, el jalapeño, la sal, el ajo y las cebolletas. Reserva dos cucharadas de la mezcla.

**2.** Vierte el resto de la mezcla en una bolsa de plástico con cierre hermético y añade la panceta. Cubre la carne con la marinada, cierra la bolsa y guarda en el frigorífico entre cuatro y ocho horas.

**3.** En una sartén grande, calienta el ¼ de taza de aceite restante a fuego medio-fuerte hasta que brille.

**4.** Saca la carne de la marinada y escúrrela. Cocínala en el aceite caliente hasta que alcance una temperatura interior de 63 °C, unos cinco minutos por cada lado. Saca del fuego y deja reposar en un plato, cubriéndolo con papel de aluminio.

**5.** En la misma sartén, añade las cebollas y el pimiento morrón. Cocina, removiendo de vez en cuando, unos cinco minutos hasta que las hortalizas hayan ablandado.

**6.** Corta la carne en rodajas finas contra la fibra y devuélvela a la sartén. Añade las dos cucharadas de marinada previamente reservadas. Cocina sin dejar de remover durante dos minutos o hasta que la marinada esté bien incorporada en la carne y los vegetales.

**7.** Divide las lonchas de cerdo y los vegetales entre los cuatro recipientes y coloca en cada uno de ellos ½ taza de arroz de coliflor. Para servir, mezcla la carne, los vegetales y la coliflor, y corona con queso, crema agria y aguacate.

**Almacenamiento**: En botes herméticos, pueden durar cinco días en el frigorífico. Caliéntalos uno o dos minutos en el microondas.

> **CONSEJO:** Si dispones de un procesador de alimentos o una batidora, entonces elabora la marinada picando el aceite de aguacate, el cilantro, el zumo de lima, el jalapeño, la sal, el ajo y las cebolletas en el aparato hasta que la mezcla adquiera la apariencia de una salsa al *pesto*.

Calorías por ración: 528. Total grasas: 35 g; Proteínas: 41 g; Carbohidratos: 18 g. de los cuales 12 son limpios; Fibra: 6 g; Sodio: 474 mg.

**Macros: 60% grasa; 31% proteína y 9% hidratos de carbono.**

# ESTOFADO DE CARNE EN OLLA LENTA

**8 RACIONES**

PREPARACIÓN: 15 minutos  COCINADO: 4 horas a fuego fuerte u 8 a fuego lento

Esta es una receta que se conserva muy bien en el congelador y, como se presta a ser almacenada en cantidades importantes, si dispones de una olla de cocción lenta grande, dobla las cantidades de los ingredientes. Además, es muy fácil. La pones a fuego lento por la mañana y la dejas todo el día. Llegarás a casa por la tarde y te recibirá el exquisito olor de la comida y un plato tan sano como sustancioso.

Una pieza de llana o lomo de 750 g, cortada en dados

2 cebollas rojas cortadas toscamente

½ kg de champiñones, cortados a la mitad o cuarteados, según el tamaño

1 bolsa (225 g) de cebollas perla congeladas

4 tallos de apio

1 taza de vino tinto seco (Cabernet Sauvignon, Syrah o similar)

2 cucharaditas de ajo en polvo

1 cucharada de mostaza Dijon

1 cucharadita de tomillo seco

1 cucharadita de romero seco

1 cucharadita de sal

¼ de cucharadita de pimienta negra recién molida

1.   En una olla de cocción lenta, mezcla la carne de vacuno, las cebollas rojas, los champiñones, las cebollas perla, el apio, el vino, el ajo en polvo, la mostaza, el tomillo, el romero, la sal y la pimienta. Remueve hasta incorporarlo todo bien.

2.   Cubre y cocina durante cuatro horas a fuego fuerte u ocho a fuego lento. Deja enfriar.

3.   Pon taza y media de estofado en cada uno de los ocho recipientes.

**Almacenamiento:** En botes herméticos, puede durar cinco días en el frigorífico y hasta seis meses en el congelador. Para descongelar, déjalo toda la noche en el frigorífico. Caliéntalo uno o dos minutos en el microondas o calienta a fuego medio-fuerte durante unos cinco minutos, removiendo de vez en cuando. Quizá necesites añadir un poco de caldo para ajustar el espesor.

Calorías por ración: 933. Total grasas: 66 g; Proteínas: 69 g; Carbohidratos: 7 g, de los cuales 6 g son limpios; Fibra: 1 g; Sodio: 433 mg.

Macros: 64% grasa; 30% proteína y 6% hidratos de carbono.

# *CHILI* DE **CERDO** EN **OLLA LENTA**

**8 RACIONES**

PREPARACIÓN: 15 minutos  COCINADO: 4 horas a fuego fuerte u 8 a fuego lento

Esta receta de *chili* es sencilla de verdad, y congela bien. Además, puedes hacer grandes cantidades. Si dispones de una olla de cocción lenta grande, dobla las cantidades de los ingredientes y consúmela en las comidas de los meses siguientes. Para esta receta también puedes emplear carne de costilla de cerdo deshuesado, al estilo campero; simplemente córtala en dados antes de ponerla en la olla de cocción lenta.

1 kg de paleta de cerdo cortada en dados

1 cebolla picada

3 cucharadas de chile en polvo

1 cucharadita de cilantro molido

1 cucharadita de ajo en polvo

1 cucharadita de comino molido

1 cucharadita de sal

1 taza de queso cheddar rallado

1 taza de crema amarga

**1.**    En una olla de cocción lenta, mezcla la paleta de cerdo, la cebolla, el chile en polvo, el cilantro, el ajo en polvo, el comino y la sal.

**2.**    Remueve hasta incorporarlo todo bien. Tapa y cocina durante cuatro horas a fuego fuerte u ocho a fuego lento. Deja enfriar.

**3.**    Dispón 1½ tazas de chile en cada uno de los ocho recipientes. Para servir, espolvorea con el queso y corona con crema agria.

**Almacenamiento:** En botes herméticos, puede durar cinco días en el frigorífico, y hasta seis meses en el congelador. Para descongelar, déjalo toda la noche en el frigorífico. Caliéntalo uno o dos minutos en el microondas o a fuego medio-fuerte en la cocina, removiendo de vez en cuando. Quizá necesites añadir un poco de caldo para ajustar el espesor.

> **CONSEJO:** El cerdo es una carne bastante grasa, así que no vas a necesitar agua. De todos modos, si el corte es muy magro, añade ½ taza de agua en la olla de cocción lenta.

Calorías por ración: 466. Total grasas: 36 g; Proteínas: 31 g; Carbohidratos: 5 g. de los cuales 4 son limpios; Fibra: 1 g; Sodio: 268 mg.

**Macros: 70% grasa; 27% proteína y 3% hidratos de carbono.**

# CERDO SALTEADO

**6 RACIONES**

PREPARACIÓN: 15 minutos   COCINADO: 10 minutos

Los salteados son fantásticos porque se cocinan muy rápido y es muy fácil variarlos. Esta receta contiene todos los sabores de una cazuela de cerdo, pero sin la masa alta en carbohidratos; así que, si te gustan las cazuelas de cerdo, te encantará este salteado.

- 3 cucharadas de aceite de coco
- ½ kg de carne de cerdo picada
- 6 cebolletas con sus cabezas y tallos cortados en láminas
- 2 tazas de calabaza verde rallada o ensalada de col
- 1 cucharada de jengibre fresco pelado y recién rallado
- 3 dientes de ajo, picados
- El zumo de dos limas
- 1 cucharada de salsa de soja baja en sodio
- ½ cucharadita de aceite de sésamo
- ½ cucharadita de aceite de chile

**1.**   En una sartén grande, calienta el aceite de coco a fuego medio-fuerte hasta que brille.

**2.**   Añade la carne y cocina, removiendo, unos cinco minutos hasta que se dore.

**3.**   Agrega las cebolletas, la calabaza y el jengibre. Cocina, removiendo, unos tres minutos más hasta que los vegetales se ablanden.

**4.**   Incorpora el ajo y cocina sin dejar de remover durante unos treinta segundos.

**5.**   Añade el zumo de lima, la salsa de soja, el aceite de sésamo y el aceite de chile. Cocina uno o dos minutos más o hasta que todo esté bien caliente.

**6.**   Reparte el salteado en seis recipientes.

**Almacenamiento**: En botes herméticos, puede durar tres días en el frigorífico y hasta seis meses en el congelador. Para descongelar, déjalo toda la noche en el frigorífico. Caliéntalo uno o dos minutos en el microondas.

> **CONSEJO:** Si dispones de cilantro fresco, añádelo picado al final del cocinado o empléalo para decorar. También puedes decorar con cacahuetes o anacardos molidos o con semillas de sésamo.

Calorías por ración: 698. Total grasas: 50 g; Proteínas: 54 g; Carbohidratos: 5 g, de los cuales 4 son limpios; Fibra: 1 g; Sodio: 367 mg.

**Macros: 64% grasa; 31% proteína y 5% hidratos de carbono**

# LASAÑA CARNOSA | 12 RACIONES

PREPARACIÓN: 20 minutos   COCINADO: 75 minutos

Esta receta es saciante y muy contundente. Es muy adecuada para hacer en una reunión, aunque también se conserva bien en el frigorífico o el congelador, así que es la receta perfecta para una preelaboración. Consta de unos cuantos pasos y requiere de cierto tiempo, pero la recompensa en forma de la enorme cantidad de comida que tendrás durante las próximas semanas hará que merezca la pena.

¼ taza de aceite de aguacate

1 chalota picada

6 dientes de ajo, picados

2 latas de tomate de 400 g, una escurrida y otra no

1 cucharadita de sazonador italiano

½ kilo de salchichas fresca

1 bote de 200 g de salsa pesto ya preparada

425 g de requesón

450 g de salami cortado en lonchas

3 tazas de *mozzarella* rallada, separadas.

**1.** Precalienta el horno a 175 °C.

**2.** Calienta el aceite en una sartén grande a fuego medio-fuerte hasta que brille.

**3.** Agrega la chalota y cocina, removiendo, durante dos minutos. Añade el ajo y cocina otros treinta segundos sin dejar de remover.

**4.** Añade los tomates, junto con el jugo de una de las latas y el sazonador italiano. Lleva a una ebullición lenta. Deja cocer a fuego lento, removiendo de vez en cuando, durante cinco minutos.

**5.** Mientras la salsa se hace a fuego lento cocina las salchichas a fuego medio-fuerte en otra sartén grande, deshaciéndolas con una cuchara, hasta que se dore la carne, lo cual tardará unos cinco minutos. Aparta del fuego y reserva.

**6.** Mezcla el requesón y la salsa pesto en un cuenco pequeño.

**7.** Extiende más o menos ½ taza d salsa en el fondo de un plato de horno de 34 x 21 cm.

**8.** Dispón una capa de salami sobre la salsa extendida en el plato y, a su vez, extiende sobre ella una fina capa de la mezcla de requesón y salsa pesto. Espolvorea encima una de las tazas de queso rallado. Extiende entre ¼ y ½ taza más de salsa, añade otra capa de salami, otra de la mezcla de requesón y espolvorea otra taza de queso rallado.

**9.** Dispón una última capa de salami sobre el queso rallado y cubre con el resto de salsa. Espolvorea encima la taza de queso rallado restante.

**10.** Coloca el plato sobre una bandeja de horno para atrapar cualquier líquido y ponlo a hornear. Asa durante una hora. Deja que se enfríe un poco antes de cortarlo en doce porciones.

**11.** Coloca una ración de lasaña en cada uno de los doce recipientes.

**Almacenamiento:** En botes herméticos, puede durar cinco días en el frigorífico y hasta seis meses en el congelador. Descongela calentándola en el horno a 175 °C, durante unos 45 minutos o déjala toda la noche en el frigorífico y caliéntala uno o dos minutos en el microondas.

Calorías por ración: 554. Total grasas: 43 g; Proteínas: 29 g; Carbohidratos: 11 g, de los cuales 9 son limpios; Fibra: 2 g; Sodio: 1.296 mg.

**Macros: 71% grasa; 20% proteína y 9% hidratos de carbono.**

# VERDURAS Y TENTEMPIÉS

« Polos de batido de fresa y coco  (pág. 136)

# ENSALADA
## DE COL ESPECIADA

**4 RACIONES**

**PREPARACIÓN: 5 minutos**

Esta ensalada de col es muy fácil de elaborar y llevar. En vez de una vinagreta cremosa presenta un aliño basado en vinagre, pero sigue siendo muy suculenta. Es mejor almacenar la vinagreta aparte de la ensalada para mantener la col crujiente.

4 tazas de calabaza verde rallada o ensalada de col ya preparada

6 cebolletas, con sus cabezas y tallos finamente picados

Las hojas picadas de un ramito de cilantro fresco

¼ taza de vinagre de sidra de manzana

½ taza de aceite de aguacate

El zumo de una lima

½ cucharadita de sriracha o ¼ cucharadita de aceite de chile

½ cucharadita de mostaza picante china

1 cucharada de semillas de sésamo

1 diente de ajo picado

1 cucharadita de jengibre fresco, pelado y recién rallado

½ cucharadita de sal

**1.** En un cuenco grande, mezcla la calabaza, las cebolletas y el cilantro.

**2.** En un cuenco pequeño, bate el vinagre, el aceite, el zumo de lima, la sriracha, la mostaza, las semillas de sésamo, el ajo, el jengibre y la sal.

**3.** Coloca una taza de ensalada de col en cada uno de los cuatro recipientes y tres cucharadas de vinagreta en cada uno de los cuatro tarros individuales. Para servir, aliña la ensalada con la vinagreta.

**Almacenamiento:** Consérvala en el frigorífico guardada en botes herméticos. El aliño se conservará durante una semana y la ensalada de col durante cinco días. No congeles.

Calorías por ración: 103. Total grasas: 7 g; Proteínas: 2 g; Carbohidratos: 11 g, de los cuales 7 son limpios; Fibra: 4 g; Sodio: 290 mg.

**Macros: 61% grasa; 8% proteína y 31% hidratos de carbono.**

# ENSALADA *CAPRESE* TROCEADA

**4 RACIONES**

PREPARACIÓN: 10 minutos

Una sencilla ensalada *caprese* es una maravilla. Presento una versión troceada, de modo que la podrás almacenar sin problemas. Tiene mejor sabor si los tomates y la albahaca son de temporada, sobre todo si puedes encontrar tomates reliquia. También está deliciosa con *mozzarella* fresca, si puedes encontrarla.

3 tomates reliquia, grandes y troceados

Las hojas picadas de un ramo de albahaca

340 g de *mozzarella* fresca, picada

¼ taza de aceite de oliva virgen extra

½ cucharadita de sal

⅛ cucharadita de pimienta negra recién molida

**1.**   Pasa los tomates, la albahaca, la *mozzarella*, el aceite, la sal y la pimienta. Remueve hasta mezclarlo todo muy bien. Reparte la ensalada en cuatro recipientes individuales.

**Almacenamiento**: Los recipientes, cerrados herméticamente, te permitirán conservarla tres días en el frigorífico. No congeles.

Calorías por ración: 373. Total grasas: 28 g; Proteínas: 25 g; Carbohidratos: 8 g, de los cuales 6 son limpios; Fibra: 2 g; Sodio: 751 mg.

**Macros: 68% grasa; 27% proteína y 5% hidratos de carbono.**

# CEBOLLAS CARAMELIZADAS

**2 TAZAS APROX.**

PREPARACIÓN: 10 minutos   COCINADO: 20 minutos

Aunque la verdad es que no tienes por qué consumir cebollas caramelizadas (aunque son fantásticas con un filete), siempre son un sabor añadido en cazuelas, sopas, salsas para mojar y muchas otras recetas propuestas en este libro. Ahora te mostraré cómo preparar una buena cantidad con antelación.

¼ taza de aceite de aguacate

4 cebollas, cortadas en rodajas finas

1 cucharadita de sal

**1.**   En una sartén grande y antiadherente, calienta el aceite a fuego medio-fuerte hasta que brille.

**2.**   Reduce el fuego a medio-bajo y añade las cebollas y la sal.

**3.**   Cocina, removiendo de vez en cuando, unos 20 o 30 minutos o hasta que las cebollas estén completamente caramelizadas.

**4.**   Dispón ½ taza de ración en cada uno de los cuatro recipientes.

**Almacenamiento:** Los recipientes, cerrados herméticamente, te permitirán conservarlas cinco días en el frigorífico y seis meses en el congelador. Déjalas toda la noche en el frigorífico para descongelarlas.

Calorías por ración: 63. Total grasas: 2 g; Proteínas: 1 g; Carbohidratos: 11 g, de los cuales 8 son limpios; Fibra: 3 g; Sodio: 473 mg.

**Macros: 29% grasa; 6% proteína y 65% hidratos de carbono.**

# PURÉ DE COLIFLOR

**4 RACIONES**

PREPARACIÓN: 20 minutos   COCINADO: 10 minutos

Si aún no lo has probado, te sorprenderá descubrir qué sustituto tan sabroso del puré de patata es el puré de coliflor. Sírvelo como guarnición o como primero, o acompañando cualquier cena con una salsa, como unos muslitos de pollo al horno (véase pág.80). Esta receta puede elaborarse con facilidad empleando dobles o triples cantidades de ingredientes.

1 cabeza de coliflor

¼ taza de mantequilla sin sal, fundida

¼ taza de crema batida

½ cucharadita de sal

⅛ cucharadita de pimienta negra recién molida

**1.**   Rompe la coliflor en cabezuelas y ponlas en una fuente grande cubierta de agua. Lleva el agua a ebullición a fuego medio-fuerte.

**2.**   Cuece la coliflor hasta que las cabezuelas hayan ablandado, unos diez minutos.

**3.**   Escurre. Machaca la coliflor como si fuesen patatas. Incorpora la mantequilla, la crema, la sal y la pimienta.

**4.**   Reparte el puré de coliflor en cuatro recipientes.

**Almacenamiento:** Los recipientes, cerrados herméticamente, te permitirán conservarlo cinco días en el frigorífico y seis meses en el congelador. Déjalo toda la noche en el frigorífico para descongelarlo. Caliéntalo un minuto o dos en el microondas, o a fuego medio-fuerte en la cocina, removiendo de vez en cuando. Quizá necesites añadir un poco de leche para ajustar el espesor.

> **CONSEJO PARA VARIAR:** Añade sabor mezclándolo con cebollas caramelizadas (véase pág.126) o poniendo a cocer unos dientes de ajo con la coliflor e incorporarlos al puré.

Calorías por ración: 143. Total grasas: 14 g; Proteínas: 3 g; Carbohidratos: 5 g, de los cuales 3 son limpios; Fibra: 2 g; Sodio: 262 mg.

**Macros: 88% grasa; 8% proteína y 4% hidratos de carbono.**

# COLES DE BRUSELAS ASADAS CON PANCETA

**4 RACIONES**

PREPARACIÓN: 10 minutos   COCINADO: 20 minutos

Las coles de Bruselas asadas le confieren unas deliciosas notas de caramelo a los vegetales, y la panceta siempre es un ingrediente bienvenido por su ahumado y sabor. Haz una buena cantidad durante el fin de semana, consérvala en el congelador y vete recalentándolas en el microondas a medida que las consumas.

¼ taza de aceite de aguacate

1½ kg de coles de Bruselas, cortadas a lo largo en dos mitades

115 g de panceta, picada

½ cucharadita de sal

⅛ cucharadita de pimienta negra recién molida

1.   Precalienta el horno a 200 °C.

2.   Mezcla el aceite, las coles, la panceta, la sal y la pimienta en un cuenco grande.

3.   Coloca las coles en una bandeja de horno y asa durante unos veinte minutos, dándoles la vuelta a la mitad, o hasta que las coles comiencen a dorarse.

4.   Reparte las coles en cuatro recipientes.

**Almacenamiento:** Los recipientes, cerrados herméticamente te permitirán conservarlas cinco días en el frigorífico. Puedes congelarlas, pero su textura no será muy buena después de la descongelación y el recalentamiento.

**CONSEJO:** Para añadir sabor, espolvorea con queso parmesano justo antes de servir.

Calorías por ración: 347. Total grasas: 26 g; Proteínas: 16 g; Carbohidratos: 16 g, de los cuales 10 son limpios; Fibra: 6 g; Sodio: 931 mg.

**Macros: 67% grasa; 18% proteína y 15% hidratos de carbono.**

# CAZUELA DE JUDÍAS VERDES AL QUESO

**4 RACIONES**

PREPARACIÓN: 10 minutos  COCINADO: 15 minutos

Es una excelente guarnición en tiempo de vacaciones aunque, la verdad, es delicioso en cualquier época del año, a pesar de que lo típico sea consumirlas en temporada de descanso. Su elaboración requiere la de otras dos preelaboraciones presentes en este libro: la crema de setas (véase pg. 108) y las cebollas caramelizadas (véase pág. 126).

3 tazas de judías verdes cocidas (no importa si son frescas o congeladas. Si son congeladas, descongélalas primero)

2 tazas de crema de setas (véase pág. 108)

½ taza de cebollas caramelizadas (véase pág. 126)

½ taza de queso cheddar rallado

**1.**   Precalienta el horno a 175 °C.

**2.**   En un cuenco grande, mezcla las judías, la crema, las cebollas y el queso.

**3.**   Extiende la mezcla en un plato de horno de 34 x 21 cm y hornea, sin cubrir, hasta que esté muy caliente y bulla unos quince minutos.

**4.**   Dispón una taza de cazuela en cada uno de los cuatro recipientes.

**Almacenamiento:** Los recipientes cerrados herméticamente te permitirán conservarlas cinco días en el frigorífico. Caliéntalas un minuto o dos en el microondas o unos quince minutos en un horno a 175 °C.

> **CONSEJO:** Para cocinar judías verdes, pártelas por la mitad y quita los pedúnculos. Cuece durante unos cuatro minutos.

Calorías por ración: 366. Total grasas: 31 g; Proteínas: 15 g; Carbohidratos: 18 g, de los cuales 12 son limpios; Fibra: 6 g; Azúcar: 5 g; Sodio: 403 mg.

**Macros: 76% grasa; 16% proteína y 8% hidratos de carbono.**

# HUEVOS PICANTES | 12 MITADES DE HUEVO

PREPARACIÓN: 10 minutos

Se conservarán varios días en el frigorífico y puedes llevarlos para comer fuera. No necesitan recalentarse, así que son perfectos para meriendas campestres o una comida rápida en la oficina. Cuando vayas a comer fuera, llévalos en una pequeña nevera con un poco de hielo para evitar que se estropeen.

6 huevos duros (véase pág. 81), pelados y cortados por la mitad a lo largo

½ taza de mayonesa (véase pág. 85)

1 cucharadita de mostaza Dijon

1 pepinillo, picado

2 cebolletas, con sus cabezas y tallos picados

⅛ cucharadita de cayena

1 diente de ajo, picado

½ cucharadita de sal

1.    Separa las yemas de las claras y ponlas en un cuenco pequeño. Dispón las claras sobre un plato con el corte hacia arriba.

2.    En el cuenco, mezcla las yemas con la mayonesa, la mostaza, el pepinillo, las cebolletas, la cayena, el ajo y la sal. Bate con un tenedor, rompiendo las yemas, hasta que todo esté muy bien incorporado.

3.    Rellena las claras con una cuchara.

4.    Incorpora el ajo y cocina sin dejar de remover durante unos treinta segundos.

5.    Coloca dos mitades en cada uno de los seis recipientes.

**Almacenamiento:** En botes herméticos, pueden durar cinco días en el frigorífico.

Calorías por ración (½ huevo): 72. Total grasas: 6 g; Proteínas: 3 g; Carbohidratos: 3 g, de los cuales 3 son limpios; Fibra: <1 g; Sodio: 249 mg.

**Macros: 75% grasa; 17% proteína y 8% hidratos de carbono.**

# JALAPEÑOS RELLENOS

**8 RACIONES**

PREPARACIÓN: 10 minutos  COCINADO: 25 minutos

Quizá sería una buena idea que empleases guantes al elaborar esta receta y proteger la piel del líquido de los jalapeños, sobre todo si la tienes sensible. Los jalapeños se recalientan muy bien, así que son muy prácticos para arreglar comidas para llevar o preparar un tentempié.

180 g de crema de queso a temperatura ambiente

½ taza de queso Monterrey Jack rallado. Reserva un poco para decorar

16 jalapeños limpios de nervios y semillas y cortados en dos mitades a lo largo

8 lonchas desmigadas de panceta perfecta (véase pág. 79)

**1.** Precalienta el horno a 175 °C.

**2.** Mezcla la crema de queso y el queso Monterrey Jack en un cuenco.

**3.** Con una cuchara, rellena las mitades de los jalapeños y colócalos, con el queso hacia arriba, en una bandeja de horno. Espolvorea con la panceta y corona con más queso.

**4.** Hornea durante unos veinticinco minutos hasta que el queso se haya fundido y bulla.

**5.** Coloca cuatro mitades de jalapeño en cada uno de los ocho contenedores.

**Almacenamiento:** En botes herméticos, pueden durar cinco días en el frigorífico. Caliéntalos uno o dos minutos en el microondas o en el horno a 175 °C durante 15 o 20 minutos.

> **CONSEJO PARA VARIAR:** ¿Los quieres más picantes? Añade cayena a la mezcla de queso, dependiendo de tu tolerancia (recuerda que durante el cocinado siempre pierde un poco de fuerza). ¿Más suave? Pues asegúrate de limpiar los jalapeños de semillas y sustituye el queso Monterrey Jack por queso cheddar.

Calorías por ración: 240. Total grasas: 20 g; Proteínas: 12 g; Carbohidratos: 3 g, de los cuales 3 son limpios; Fibra: <1 g; Sodio: 592 mg.

**Macros: 76% grasa; 20% proteína y 4% hidratos de carbono.**

# SALSA DE CREMA DE QUESO Y CEBOLLA CARAMELIZADA PARA MOJAR CON VERDURAS

**6 RACIONES**

PREPARACIÓN: 10 minutos   COCINADO: 20 minutos

Si ya tienes cebollas caramelizadas en el congelador o el frigorífico, entonces podrás hacer esta salsa muy rápido. Deja que las cebollas se enfríen casi por completo antes de incorporarlas en la salsa.

¼ taza de aceite de aguacate

2 cebollas cortadas en láminas finas o ½ receta de cebollas caramelizadas (véase pág. 126)

1 cucharadita de tomillo seco

½ cucharadita de sal

225 g de crema de queso a temperatura ambiente

¼ taza de mayonesa (véase pág. 85)

1 cucharadita de mostaza Dijon

2 pimientos morrones rojos, cortados en láminas

**1.**   En una sartén grande, calienta el aceite a fuego medio-fuerte hasta que brille.

**2.**   Reduce el fuego a medio-bajo y añade las cebollas, el tomillo y la sal.

**3.**   Cocina, removiendo de vez en cuando, durante unos 20 o 30 minutos o hasta que las cebollas estén muy caramelizadas. Deja enfriar.

**4.**   Pasa las cebollas, la crema de queso, la mayonesa y la mostaza a un cuenco grande. Mezcla hasta que todo esté bien incorporado.

**5.**   Reparte los trozos de pimiento en los seis recipientes y dispón ¼ taza de salsa en otros seis recipientes individuales.

**Almacenamiento:** En botes herméticos, puede durar tres días en el frigorífico. Si lo deseas, puedes cocinar y congelar las cebollas, y descongelarlas antes de emplearlas en la salsa; pero no congeles la salsa.

> **CONSEJO:** Si deseas un toque picante, añade unas gotas de tabasco al hacer la mezcla de la salsa.

Calorías por ración: 211. Total grasas: 18 g; Proteínas: 4 g; Carbohidratos: 10 g, de los cuales 8 son limpios; Fibra: 2 g; Sodio: 350 mg.

**Macros: 77% grasa; 8% proteína y 15% hidratos de carbono.**

# CHAMPIÑONES RELLENOS DE ESPINACA Y QUESO

**8 RACIONES**

PREPARACIÓN: 10 minutos  COCINADO: 25 minutos

Al mismo tiempo que son un gran pincho para las reuniones de amigos, también son muy buenos para llevar. Pueden consumirse fríos o templados, lo cual los hace perfectos cuando no se tiene acceso a un microondas o un horno.

225 g de crema de queso a temperatura ambiente

115 g de espinacas congeladas, descongeladas, escurridas y picadas

1 cucharadita de mostaza Dijon

Dos golpes de salsa tabasco

1 cucharadita de polvo de ajo

1 cucharada de chalotas picadas

½ taza de queso parmesano rallado

½ kg de champiñones sin el tallo

1. Precalienta el horno a 220 °C.

2. Mezcla la crema de queso, las espinacas, la mostaza, la salsa tabasco, el ajo en polvo, las chalotas y el queso parmesano.

3. Dispón los champiñones en una bandeja de horno con el corte hacia arriba.

4. Rellena cada uno con una generosa cantidad.

5. Hornea durante veinticinco minutos. Deja enfriar.

6. Reparte los champiñones en los ocho recipientes.

**Almacenamiento:** En recipientes herméticos pueden conservarse cinco días en el frigorífico. Recalienta un minuto o dos en el microondas o unos veinticinco minutos en un horno a 175 °C.

**CONSEJO:** Para limpiar los champiñones, elimina cualquier resto de suciedad con un papel de cocina húmedo. No los pongas bajo el grifo, pues absorberán agua y presentarán una textura esponjosa.

Calorías por ración: 162. Total grasas: 13 g; Proteínas: 9 g; Carbohidratos: 4 g, de los cuales 4 g son limpios; Fibra: <1 g; Sodio: 236 mg.

**Macros: 72% grasa; 22% proteína y 6% hidratos de carbono.**

# MOUSSE DE CHOCOLATE Y COCO

**6 RACIONES**

PREPARACIÓN: 10 minutos

Las cremas de coco son una excelente base para un postre sin lácteos. Para hacer crema de coco, simplemente deja un paquete de leche de coco toda la noche en el frigorífico. La parte sólida flotará, dejando el agua en el fondo. Escurre el agua (aunque quizá necesites un poco para ajustar la textura) y emplea solo la crema.

La crema de dos botes de leche de coco de 400 g y ¼ de taza de su agua por si se desea suavizar un poco su textura

60 g de chocolate amargo, fundido y un poco frío

1 cucharadita de café expreso molido

1 cucharadita de estevia líquida o cualquier otro edulcorante para dar sabor

½ cucharadita de extracto de vainilla

1. En un cuenco mediano, bate la crema de coco, el chocolate, el café molido, la estevia y la vainilla hasta que todo esté bien combinado.

2. Ajusta la consistencia añadiendo agua de leche de coco, o con leche de coco líquida.

3. Reparte la *mousse* en seis recipientes.

**Almacenamiento:** En recipientes herméticos puede conservarse cinco días en el frigorífico. También la puedes congelar y cortar en dados para hacer ganache.

CONSEJO: Añade ½ taza de mantequilla de cacahuete derretida y prescinde del café para hacer una *mousse* de chocolate y cacahuete.

Calorías por ración: 396. Total grasas: 41 g; Proteínas: 5 g; Carbohidratos: 11 g, de los cuales 6 g son limpios; Fibra: 5 g; Sodio: 25 mg.

**Macros: 93% grasa; 5% proteína y 2% hidratos de carbono.**

# POLOS DE BATIDO DE FRESA Y COCO

**4 RACIONES**

PREPARACIÓN: 10 minutos y una noche en el congelador

Las fresas son una de las mejores frutas bajas en hidratos de carbono, lo cual las hace perfectas para un ocasional tentempié cetogénico. Si no tienes moldes para polos, puedes verter la mezcla en vasitos de papel, cubrirlos con un poco de papel de aluminio, atravesarlos con un palito y ponerlos a congelar.

1 taza de fresa cortadas por la mitad

1 bote de 400 g de leche de coco entera

½ cucharadita de estevia líquida

1. Bate la estevia, las fresas y la leche de coco con un procesador de alimentos o una batidora. Bate hasta que la mezcla presente una textura suave.

2. Vierte en moldes de helado y déjalos toda la noche en el congelador antes de servir.

**Almacenamiento:** En moldes para helados puede conservarse seis meses en el congelador.

Calorías por ración: 272. Total grasas: 27 g; Proteínas: 3 g; Carbohidratos: 9 g, de los cuales 6 g son limpios; Fibra: 3 g; Sodio: 17 mg.

**Macros: 89% grasa; 4% proteína y 7% hidratos de carbono.**

# BOMBAS DE CHOCOLATE Y ALMENDRAS

**12 RACIONES**

PREPARACIÓN: 10 minutos y una hora de enfriado

Estas bombas te ayudarán a cuadrar tus macros si no has ingerido grasa suficiente para cumplir tu objetivo diario. Para las porciones individuales, puedes emplear moldes para caramelo, para magdalenas pequeñas e incluso una cubitera.

1 taza de mantequilla de almendras
60 g de chocolate amargo
1 taza de aceite de coco
Estevia líquida

**1.** En un cazo puesto a fuego lento, mezcla la mantequilla de almendras, el chocolate y el aceite y añade estevia al gusto.

**2.** Cocina, sin dejar de remover, hasta que la mezcla se haya incorporado por completo. Prueba y ajusta el dulzor.

**3.** Vierte en moldes de caramelo, una cubitera o moldes para magdalenas pequeñas.

**4.** Deja enfriar al menos una hora. Saca de los moldes y pasa a un recipiente.

**Almacenamiento:** En recipientes herméticos puede conservarse cinco días en el frigorífico o seis meses en el congelador.

Calorías por ración (una bomba): 188. Total grasas: 21 g; Proteínas: <1 g; Carbohidratos: 2 g, de los cuales 2 g son limpios; Fibra: <1 g; Sodio: 1 mg.

**Macros: 99% grasa; <1% proteína y <1% hidratos de carbono.**

# Tablas de conversión de medidas

## Volumen (líquidos)

| ESTÁNDAR EE.UU. | ESTÁNDAR EE.UU. (ONZAS) | MÉTRICO (APROX.) |
|---|---|---|
| 2 CUCHARADAS | 1 Oz LÍQUIDA | 30 ml |
| ¼ TAZA | 2 Oz LÍQUIDAS | 60 ml |
| ½ TAZA | 4 Oz LÍQUIDAS | 120 ml |
| 1 TAZA | 8 Oz LÍQUIDAS | 240 ml |
| 1½ TAZAS | 12 Oz LÍQUIDAS | 355 ml |
| 2 TAZAS o 1 PINTA | 16 Oz LÍQUIDAS | 475 ml |
| 4 TAZAS o ¼ GALÓN | 32 Oz LÍQUIDAS | 1 l |
| 1 GALÓN | 128 Oz LÍQUIDAS | 4 l |

## Temperaturas de horno

| FAHRENHEIT (F) | CELSIUS (C) (APROX.) |
|---|---|
| 250 °F | 120 °C |
| 300 °F | 150 °C |
| 325 °F | 165 °C |
| 350 °F | 180 °C |
| 375 °F | 190 °C |
| 400 °F | 200 °C |
| 425 °F | 220 °C |
| 450 °F | 230 °C |

## Volumen (sólidos)

| ESTÁNDAR EE.UU. | MÉTRICO (APROX.) |
|---|---|
| ⅛ CUCHARADITA | 0,5 ml |
| ¼ CUCHARADITA | 1 ml |
| ½ CUCHARADITA | 2 ml |
| ¾ CUCHARADITA | 4 ml |
| 1 CUCHARADITA | 5 ml |
| 1 CUCHARADA | 15 ml |
| ¼ TAZA | 59 ml |
| ⅓ TAZA | 79 ml |
| ½ TAZA | 118 ml |
| ⅔ TAZA | 156 ml |
| ¾ TAZA | 177 ml |
| 1 TAZA | 235 ml |
| 2 TAZAS o 1 PINTA | 475 ml |
| 3 TAZAS | 700 ml |
| 4 TAZAS o ¼ GALÓN | 1 l |
| ½ GALÓN | 2 l |
| 1 GALÓN | 4 l |

## Peso

| ESTÁNDAR EE.UU. | MÉTRICO (APROX.) |
|---|---|
| ½ ONZA | 15 g |
| 1 ONZA | 30 g |
| 2 ONZAS | 60 g |
| 4 ONZAS | 115 g |
| 8 ONZAS | 225 g |
| 12 ONZAS | 340 g |
| 16 ONZAS o 1 LIBRA | 455 g |

# Índice de recetas

# Índice onomástico

# Agradecimientos

Siento un profundo agradecimiento por el gran apoyo recibido durante la concepción y escritura de este libro. No hubiese salido así de bien (ni de ninguna manera, llegado el caso) sin el amor de mi familia y amigos. Gracia a Danny, mi esposo, por hacerse cargo del asunto y cocinar más platos de los que nadie debiese cocinar jamás.

Quiero agradecer a mi padre su pasión por la cocina y ecléctico paladar. Observar su amor por la cocina fue el motivo que me ha llevado a descubrir mi pasión por crear entre fogones.

Gracias a mi adorable madre, a su gen creativo y su habilidad para tejer recuerdos inolvidables alrededor de la mesa.

Gracias a mi queridísima hermana Laura por creer en mí desde el primer día. Tu empuje no se parece en nada a cualquier cosa que haya visto antes, y gracias a él fui capaz de traspasar límites que creía imposibles.

Gracias a mi familia de Traeger, sobre todo a Chad. ¡No lo habría logrado sin vuestro apoyo!

Gracias, señora Jocie, y a usted también, señora Holly, por cuidar tan bien de mi Gracie Rose. ¡No hubiese podido conseguirlo sin vosotras!

Gracias al equipo de Callisto Media. Pasaron muchas cosas entre bambalinas y fue una maravilla trabajar con ellos durante todo el proceso.

Gracias a mi familia de 7K Fit por el gran apoyo y hospitalidad que proporcionasteis a mi pequeña familia al mudarnos a Evanston. Vosotros inspiráis nuestro día a día y habéis hecho que nuestros sueños se hagan realidad. Este vínculo me lleva a la comunidad cetogénica del mundo virtual, a quien le doy mis gracias más sinceras. Sin el apoyo de mis seguidores, de los miembros del grupo de Facebook y de los maravillosos amigos que he conocido, jamás habría disfrutado de esta oportunidad. Vuestras historias, ejemplos y transformaciones cetogénicas me han inspirado. Gracias a vosotros me aficioné a compartir herramientas, recetas e inspiración acerca de lo que todos podemos ganar siguiendo un estilo de vida cetogénico.

Gracias a todos y cada uno de vosotros que me habéis brindado valor, ofrecido consejo, inspirado recetas y comprado este libro para vivirlo.

Si eres un lector, espero que descubras los cambios positivos que este libro puede hacer en tu vida y en la vida de tus seres queridos.

LIZ WILLIAMS